RISIBLE ET NOIR

récits

Données de catalogage avant publication (Canada)

Moutier, Maxime-Olivier

    Risible et noir : récits

    2e éd.
    Éd. originale: 1997.
    ISBN 2-89031-330-1
    I.Titre.

PS8576.O983R57.1998   C843'.54   C98-941461-2
PS9576.O983R57 1998
PQ3919.2.M68R57 1998

La réalisation de cet ouvrage a été rendue possible grâce à des subventions du ministère de la Culture et des Communications du Québec, du Conseil des Arts du Canada et du Patrimoine canadien (PADIÉ).

Mise en pages: Constance Havard
Maquette de la couverture: Raymond Martin
Illustration de la couverture: Stéphane Barrette

Distribution:	Canada	Europe francophone
	Diffusion Prologue	La Librairie du Québec
	1650, boul. Louis-Bertrand	30, rue Gay-Lussac
	Boisbriand (Québec)	75005 Paris
	J7E 4H4	France
	Tél.: (514) 434-0306	Tél.: (1) 43 54 49 02
	Téléc.: (514) 434-2627	Téléc.: (1) 43 54 39 15

Dépôt légal: B.N.Q. et B.N.C., 4ᵉ trimestre 1998
Imprimé au Canada

Maxime-Olivier Moutier

RISIBLE ET NOIR

récits

Triptyque

Pour Marie-Hélène, encore une fois, parce qu'elle fut là durant tout ce temps ;

pour Zbigniew et Köhlia, pour les mêmes raisons ;

pour Giroux, sans la croyance duquel je n'aurais peut-être jamais écrit ;

et enfin pour Gilson, Gilson, avant que je ne le jette.

Tout le monde

Certains, dans leur enfance, ont déjà fait cuire des araignées avec une loupe en plein soleil. D'autres ont essayé de congeler une mouche piégée dans un sac de plastique, puis de la décongeler pour la voir s'envoler de nouveau. Mais tout le monde, sans exception, s'est déjà amusé à piétiner des nids de fourmis près de la clôture de la cour de l'école. Tout le monde s'est aussi déjà demandé s'il serait assez fort, en situation de survie, pour manger le cadavre d'un être humain. Tout le monde a un cousin qui a déjà mis le feu chez lui en fumant des cigarettes planqué dans une garde-robe.

Tout le monde trouve que tous les Noirs se ressemblent. Tout le monde, à un moment de sa vie, a déjà été communiste. Tout le monde a déjà eu peur de rester pris avec le hoquet jusqu'à la fin de sa vie. Et tout le monde s'est déjà demandé si Christiane Charette ne faisait pas de la coke pour être si bonne durant ses entrevues.

Une personne sur deux a déjà rêvé d'embrasser une rousse sur la bouche ; une personne sur deux s'est déjà demandé quel goût ça peut avoir, une rousse, quand on l'embrasse en prenant son temps. Tout le monde a déjà eu peur de ne plus jamais être capable d'aimer autant que la dernière fois, cette fois devenue chose du passé, aussi vide qu'une chose désormais oubliée. Tout le monde a une vieille chanson d'amour coincée dans la gorge. Tout le monde, sans l'avouer publiquement, s'est déjà demandé si ça ne serait pas plus simple de devenir homosexuel. Tout le monde, enfin, a déjà eu quinze ans.

Tout le monde est originaire d'une paroisse où le curé a eu des relations louches avec sa cuisinière. Tout le monde a entendu parler de cette petite fille qui est restée la langue collée sur le poteau gelé de la clôture de la cour de l'école ; cette même clôture au pied de laquelle on a écrasé les fourmis, l'été d'avant. Tout le monde a déjà répété les blagues d'un autre, tout le monde a déjà voulu tuer ses parents, tout le monde, sous son lit, a un monstre qui se cache.

Tout le monde, même le plus innocent des innocents, a déjà regardé la rubrique 440 des petites annonces du cahier des sports du journal *La Presse* du samedi. Depuis, tout le monde sait que Marlène, étudiante de 22 ans, affamée, belle et sexy, se déplace en toute discrétion pour moins de cent dollars. Soixante dollars de plus et elle emmène sa copine Valérie. Tout le monde sait cela, même le plus innocent des innocents.

Tous les hommes ont déjà regretté d'avoir couché trop vite la première fois avec une fille qu'ils auraient pu aimer. Et toutes les femmes se sont déjà fait violer. La plupart des hommes ont peur de ne pas être à la hauteur, mais ce sont surtout les femmes qui se sentent responsables quand elles tombent sur un impuissant.

Tout le monde voudrait faire entendre aux autres qu'il est fou, mais il est bien évidemment plus juste de dire que tout le monde a un compte de banque, une carte d'assurance-maladie, une envie intenable de se procurer un REÉR de plus en février prochain et une solide prédisposition à la dépression nerveuse.

Tout le monde a un jour cessé de croire en Dieu. Tout le monde a la nostalgie de cette belle époque où tout le monde était marxiste et où tout le monde avait de l'avenir. Mais tout le monde a peur des souffleuses à neige.

Tout le monde ment. Tout le monde ment au sujet du nombre de bouquins qu'il a lus. Tout le monde vole à l'étalage. Tout le monde prend de la drogue, tout le monde est raciste, tout le monde rêve de pouvoir un jour tuer un policier et tout le monde voudrait coucher avec Claudia Schiffer – tout le monde sauf moi, j'ai plutôt un faible pour Robert Redford. Toutes les mères de famille croient leur vie assez intéressante pour en faire un roman.

Tout le monde est tanné des tounes de Beau Dommage et de chanter *Heureux d'un printemps* dès que quelqu'un a la mauvaise idée de sortir sa guitare. Tous les hommes sont jaloux et potentiellement violents. Tout le monde trouve que les couleurs de la nouvelle passe d'autobus sont laides. Tout le monde a au moins une fois déjà parlé avec quelqu'un qui a vu des soucoupes volantes venir chercher des échantillons de planète Terre dans un champ de blé d'Inde la nuit. Tout le monde connaît quelqu'un qui a déjà découvert un ver de terre dans son Big Mac ou mieux, un rat dans son baril de poulet frit Kentucky. On n'y peut rien. Tout le monde pense que Michèle Richard est un transsexuel, et ça non plus, on n'y peut rien. Enfin, tout le monde est curieux de savoir à quoi pourrait bien ressembler Patrick Norman s'il oubliait un jour de mettre sa perruque avant de se présenter à la télévision.

On a tous déjà voulu mourir avant d'être vieux. On a tous une belle-mère angoissante qui nous égorge au téléphone chaque dimanche matin. On a tous rêvé de pouvoir un jour sauver le monde, on est tous contre l'injustice, la famine et les itinérants. On est tous contre la guerre parce que c'est plus facile d'être contre que d'être pour. On a tous une Bible, un ami qui a mal viré, et on rêve tous de pouvoir prendre notre retraite avant cinquante-cinq ans. Tout le monde se dit que s'il n'avait pas cessé de pratiquer le piano il y a trois ans, il en jouerait aisément aujourd'hui. Enfin, tout le monde trouve que les filles sont plus belles au printemps.

Le monde entier a besoin d'alcool pour s'amuser, le monde entier fait croire à la femme avec laquelle il est marié depuis bientôt vingt ans qu'elle a encore de beaux seins, le monde entier trouve que les femmes, de toute façon, sont plus belles sans rouge à lèvres. Tous les soldats canadiens morts au combat s'appellent John McRae. Toutes les baby-sitters sur un trip de LSD ont déjà fait cuire un bébé dans le micro-ondes. Tous les vieux sont vicieux, tous les vieux gardent leur mouchoir plein de morve dans leur poche de pantalon ; tous les vieux crachent, tous les vieux bavent, tous les vieux toussent, tous les vieux finissent tout le temps par mourir.

Tout le monde est malheureux tamtilidilidam. Tout le monde connaît une pharmacienne qui s'appelle Nguyen, tout le monde mange ses crottes de nez, tout le monde, petit, a déjà fait pipi dans la rue. Tout le monde répond « oui » lorsque la serveuse lui demande si c'est à son goût, même quand c'est dégueulasse, même quand le café est infect ou que le gâteau au fromage goûte le pétrole.

Personne n'aurait voulu être à la place de John Lennon le soir du 8 décembre 1980. Personne n'a vraiment l'intention d'arrêter de fumer, personne n'aime l'huile de foie de morue et personne ne trouve ça agréable de se faire surprendre par un collègue dans un sex-shop. Personne n'aime le trafic, l'odeur qui persiste chez le dentiste ni la joyeuse bande des Mohawks du pont Mercier quand ceux-ci décident sans préavis, un matin, de descendre un flic sans jamais avoir payé un seul sou d'impôts ; un flic père de trois enfants.

Toutes les femmes voudraient être belles, mais toutes les femmes voudraient être aimées pour autre chose que leur beauté. Tous les enfants se sont déjà fait enculer, autrefois, par un curé de campagne. Tout le monde adore pleurer de temps en temps. Tout le monde pense qu'il faut rester jeune le plus longtemps possible. Tout le monde a déjà entendu ses voisins baiser et tout le monde trouve ça chouette de reconnaître son nom dans l'annuaire de téléphone.

Tous les mangeurs d'insectes affirment que les insectes goûtent le poulet. Il y avait toujours plus de neige l'hiver dernier à pareille date. Noël était bien moins commercial autrefois, les Fêtes ne sont plus ce qu'elles étaient, les jeunes d'aujourd'hui n'ont plus d'illusions. Tout le monde a le projet de voyager en Europe avec son sac à dos. Tout le monde est bébé la-la ; tout est tout le temps de la faute des autres et puis tout le monde, de toute façon, généralise tout le temps.

CE MATIN

Marie-Hélène est partie ce matin. Je l'ai entendue pleurer dans la chambre pendant qu'elle faisait ses valises. Je l'ai entendue pleurer, presque crier quand elle a descendu les escaliers. Et de la fenêtre, j'ai vu son petit corps s'éloigner. Son petit corps, un peu renversé, un peu déboîté, disparaissant derrière les branches des arbres.

On a joué le jeu jusqu'au bout. Elle m'a redonné la clé de l'appart, a ramassé ses produits pour verres de contact, tous ses vêtements, ses crèmes à la vitamine E qu'elle gardait dans la pharmacie, les livres empruntés à la bibliothèque municipale. Elle a tout fait entrer dans un gros sac, et elle est partie.

J'ai encore bien du mal à voir les choses en face. Tout s'est déroulé tellement vite. Les mots cette fois sont allés trop loin. Et en un coup de vent, tout a déboulé. Je voudrais bien retourner la chercher, lui dire que ça ne me plaît pas du tout d'avoir à recommencer la vie sans elle. Parce que sans elle, c'est un peu comme si plus rien n'était possible.

Je voudrais bien lui téléphoner un dernier coup

15

pour l'inviter à manger un hamburger chez Burger King. Je voudrais bien passer la prendre une dernière fois au vidéoclub où elle travaille jusqu'à minuit, la convaincre de revenir dormir chez moi. Je voudrais bien, mais je n'ai plus rien à lui promettre. Le moindre mot, désormais, sonnerait comme une vieille cloche qu'on n'aurait pas remuée depuis des siècles.

Marie-Hélène, c'était mon amoureuse. À l'heure qu'il est, elle n'est qu'une femme parmi les autres. Chez elle, je la connais, elle va s'enfermer dans la musique de ses écouteurs. Elle va aussi faire beaucoup de ménage, parce que, quand ça ne va pas, Marie-Hélène fait du ménage. Elle va replonger dans ses romans de série noire. Elle va peut-être aussi aller se chercher une caisse de bière au dépanneur, pour faire passer tout ça.

Ensemble, on devait faire un bébé. Depuis une semaine environ, je m'exerçais avec un sac de lait. Je le berçais, lui inventais des histoires sur son avenir et lui donnais à boire quand sa mère n'était pas là. Je faisais pleurer le sac de lait. Je consolais le sac de lait tout blanc. Un bébé. Un bébé comme un sac de lait. On en a parlé pendant des mois. On voulait lui donner un prénom russe, pour que soit imprégnée dans son regard glacé cette après-souffrance qu'expriment tous ces gens de l'Est quand on les voit à la télé. On aurait évidemment loué un grand cinq et demie ensoleillé où tout le monde aurait pu s'installer. On aurait vendu mes disques pour avoir un peu plus d'argent. Même que j'aurais travaillé de nuit. On aurait été obligé de faire beaucoup de sacrifices afin de réussir à gagner notre vie nouvelle, et ça ne nous aurait pas empêchés de rire des gens d'affaires qui n'en font pas.

À force de réaliser quelques petites économies par-ci, par-là, au bout de dix ans, on aurait acheté notre première automobile. Et l'été, on serait tous montés dedans faire des balades en région. Juste faire des balades, comme ça, sans aller nulle part. Aller voir la maison qu'on voudrait habiter, cette maison de rêve à la campagne. Dans l'auto, j'aurais été prêt à faire le père qui s'exprime avec autorité. Le père qui nous conduit, râleur, au bout de la campagne. Marie-Hélène était d'accord. Elle m'aurait laissé faire, sans rien dire. Elle m'aurait regardé et elle aurait rigolé, le menton rentré dans son col de chemise. Dans la voiture, jusqu'au bout du monde.

On aurait peut-être pu avoir une petite fille. On l'aurait alors appelée Köhlia. Le soir, dans sa chambre, près de son lit, j'aurais posé sa petite tête contre moi et je lui aurais doucement chanté des chansons de Kurt Cobain pour qu'elle s'endorme. J'aurais caressé son front, et j'aurais pleuré. De joie, et de désespoir aussi, un peu. Le matin, c'est moi qui l'aurais habillée. Et ça aurait été très difficile. C'est très dur à habiller, un petit bébé, ça a toujours les poings serrés très fort, et ça s'accroche après nos cheveux et nos lunettes. Je le sais, j'en ai vu plein à la télé.

Notre garçon, lui, se serait appelé Zbigniew. Il aurait eu de grands yeux bleus, comme ceux de sa mère. On en aurait fait la commande chez Provigo, et il se serait presque aussitôt pointé, une étiquette aux fesses, dans un emballage sous vide. Il aurait été fait d'extraits de levure autolysée et de matière sèche de sirop de maïs. Si bien qu'il nous aurait suffi de le porter à ébullition avec un peu d'eau et de margarine, de réduire à feu moyen, de couvrir et de laisser reposer le tout de trois à cinq minutes pour qu'il nous arrive tout plein de santé. Un bébé tout neuf à qui on aurait pu parler avec franchise. Un bébé qui aurait dormi sur le tapis du salon, heureux, près de la chaleur du radiateur.

Ça aurait été un enfant heureux, Zbigniew. Il aurait crié partout avec les frères et sœurs qu'on lui aurait imposés. Ils auraient tous ri comme des enfants fous et fait des dessins au crayon de cire sur les murs de l'appartement. Ils auraient renversé leurs verres de lait et on aurait encore beaucoup ri toute la famille. Leur mère aussi aurait ri. On aurait été une famille radieuse et tous les voisins de palier en auraient vomi de jalousie.

J'aurais construit une remise dans le jardin. Les enfants auraient pu s'y cacher et jouer à perdre mes outils. On aurait eu un barbecue et on se serait fait des hot-dogs l'été. On aurait mangé de la salade verte et les adultes auraient bu du vin dans des coupes. Le samedi midi, on aurait reçu un peu de visite, parce qu'à notre table à pique-nique, il y aurait toujours eu de la place pour les vrais amis. Marie-Hélène aurait mis une nappe à carreaux rouges, des fleurs séchées et des serviettes de table pour ne pas se tacher. Elle nous aurait servi du saucisson et des tranches de melon jaune. On aurait parlé avec les amis pendant des heures, et tout le monde aurait joui du temps qui passe doucement. Les enfants, eux, se seraient bien entendu endormis. Ils auraient pataugé dans leur piscine de plastique tout l'après-midi et, ensuite, ils se seraient assoupis, les uns contre les autres, sur le divan du salon.

Pour Zbigniew, on aurait demandé à un homosexuel d'être son parrain. Comme ça, il l'aurait aimé comme son propre fils ; le fils qu'il n'aurait pas pu avoir. Un parrain très gentil et très sensible, qui se serait fait un plaisir de payer les leçons de piano. Il aurait aussi fait prendre le train au petit, et l'aurait emmené à la campagne pour qu'il goûte un peu à la nature. Maladroitement, il lui aurait montré à chasser les papillons et comment bien faire la cuisine avec un poêle à gaz. Le petit aurait été fou de joie. Il serait rentré avec de belles couleurs aux joues, plein de fierté, avec des centaines de choses nouvelles à raconter à ses petits amis les voisins.

Même si ça ne rapporte pas de gros profits, même si le monde est fou à s'égorger pour la caisse de bière du samedi, même s'il y a la drogue, même s'il y a la famine et la guerre, même si l'environnement est pourri et même si la télé et même si l'injustice et même si la pédophilie, Marie-Hélène et moi, on devait faire un bébé.

Mais voilà. Voilà que plus une trace de ce projet n'est demeurée. Sans doute que Marie-Hélène, je ne l'aimais pas assez. En tout cas, on ne faisait presque plus l'amour. À tel point qu'entre nous, à la fin, la seule solution était de faire un petit enfant. Peut-être que ça aurait pu sauver notre bonheur, mais ce n'est pas certain.

Ça nous était bien égal de nous faire baver dessus ou

de nous lever à cinq heures tous les matins. Seulement, il nous fallait de l'amour. Pour avoir de plus beaux souvenirs et pour que notre enfant ne soit pas tout étourdi quand serait venu le temps pour lui de compter sur notre bonne foi. Sûr que j'aurais arrêté de faire des mauvais coups, d'accumuler les maîtresses et de fabriquer des cocktails Molotov avec des bouteilles d'Orangina. J'aurais cessé de passer mes vendredis soir à boire comme une crevasse, avec les vieux paumés de la Terrasse Saint-Sauveur. Sûr aussi que j'aurais arrêté de me prendre pour le plus fort et qu'avec le petit, j'aurais versé des larmes, parfois. Il m'aurait surtout fallu lui parler sérieusement de la vie, des petites filles effarouchées qui l'ignoreront comme s'il était le plus laid, de l'adolescence qui va peut-être l'achever, du désordre des choses en général. Il n'aurait pas pu me croire, parce qu'il aurait bien vu que je m'étais jeté dans les bras de sa mère, par dépit, sans avoir eu envie de l'aimer comme elle le méritait. Sur ce sujet, j'aurais essayé de lui faire un clin d'œil du genre « je n'y peux rien », mais il aurait tout de suite été déçu par son père.

Alors il aurait fait le fou. À treize ans, il aurait volé une voiture pour aller dormir chez sa petite amie, nous laissant dans l'inquiétude, sa mère et moi. Après, il aurait écouté de la musique débile et il se serait pendu en hommage au monde actuel. Il n'aurait jamais rien voulu savoir de personne. Dans sa tête, l'amour d'une femme n'aurait servi à rien. Alors, dans sa tête, ça aurait mal tourné. Ça aurait fait un petit garçon raté. Aussi raté que son père. Un vrai microbe de bas quartier.

Sa mère aurait évidemment prévu le coup. Très tôt, elle aurait cherché à lui sauver la vie en en faisant un vrai petit brigand. Et tout le temps, il se serait battu contre sa fragilité intérieure. Il aurait cassé la gueule à tout le monde à l'école et il aurait eu raison de le faire. Parce que tout le monde est con, quand on a l'enfance coincée dans la tête, comme un cancer. Et qu'on ne pourra jamais rien y changer, à ce monde, quand on est né avec une citrouille dans la tête.

Une petite copine serait soudainement entrée dans sa vie, mais il n'aurait pas su l'aimer. Elle se serait mise belle rien que pour lui, avec du parfum au creux du cou et de petites boucles d'oreille dorées. Une vraie petite copine. Mais lui, ça lui aurait fait perdre les pédales. Il l'aurait traînée dans la poussière, lui aurait fait des misères. Il l'aurait laissée se faire du mauvais sang en allant passer ses nuits dans des bordels. Un peu pour lui faire payer le mal que ça lui aurait fait d'être seul, quand elle l'aurait serré dans ses bras, avec l'impression de perdre l'équilibre ou l'essentiel de sa liberté. La liberté de pouvoir tout plaquer si l'envie le lui dicte, de partir retrouver une ancienne blonde jamais complètement oubliée, ou de s'enfuir sur le dos d'une autre automobile volée jusqu'aux frontières de Schefferville. Dans ces villes dessaisies où les femmes savent encore frapper, au besoin avec des morceaux de planche dénichés en vitesse quelque part dans le sous-sol, quand le mari ne sait plus quoi faire de sa virilité après la fermeture de la taverne. Mais voilà. Voilà que Marie-Hélène a préféré partir pour ne pas voir ça. Avant que cette histoire ne finisse par la

21

rendre complètement folle.

Sauf que moi, je ne pourrai pas la laisser s'envoler aussi facilement. C'est déjà plus fort que moi. Ce soir, je vais l'appeler. Je sais que ça va me prendre, que je vais essayer de savoir si elle m'aime toujours. Je connais sa réponse. Elle va me demander pourquoi j'insiste, pourquoi je ne suis pas capable de la laisser tranquille une fois pour toutes. Elle va rajouter qu'elle peut très bien se débrouiller sans moi, qu'elle va se faire de nouveaux amis et qu'elle va m'oublier complètement. Elle est capable de tout. Surtout quand il s'agit de me montrer qu'elle n'est absolument pas dépassée par la situation. Et que Maxime, ça ne veut plus rien dire du tout. Gentiment, elle va me demander de déguerpir, de disparaître de sa vie. Parce qu'elle va trouver ça quand même un peu difficile d'entendre constamment ma voix sur son répondeur. Elle va me demander de ne plus rôder autour d'elle, de ne plus jamais téléphoner au vidéoclub, de foutre le camp. Elle va prier pour qu'il y ait une conscription sur le territoire montréalais et pour que je sois appelé à faire la guerre contre les Ontariens. Une vraie guerre, avec de la torture et des enfants embrochés. Une guerre d'où je serais certain de ne pas revenir.

CE N'EST PAS ÇA !

Je suis tombé sur Augustine un peu comme on tombe d'une falaise haute de huit étages. Elle travaillait fort derrière le comptoir tout gras d'un petit resto de la rue Rachel. Les frites qu'on y faisait déclassaient toutes celles que j'avais goûtées jusqu'alors. Tout Montréal s'y ruait d'ailleurs, pour l'ambiance, les bières, les saucisses et les frites moutarde.

Quand j'ai vu Augustine, les frites n'ont plus compté. Elle était grande, ne parlait jamais, même quand on la questionnait, répondait d'un sourire ou d'un petit signe de tête. Augustine n'avait besoin de rien. De toutes les femmes que j'avais osé aborder depuis la mort de mon chien Félix, aucune ne m'aurait fait revenir dans un restaurant trois fois par semaine. Sauf elle.

Je ne sais pas si elle m'a remarqué la première fois, comme c'est le cas dans la plupart des films, ou si c'est une autre serveuse qui lui a signalé mon apparente insistance. Je n'insistais que par mes regards, comme je le faisais toujours parce que c'était tout ce que je savais faire. Assis au comptoir, une cigarette entre les doigts, je la suivais, examinais ses moindres gestes, beaux ou laids, lesquels, tout simplement, activaient mes accès de fièvre. Je voyais ses grandes mains avec lesquelles elle nettoyait lentement les verres, ses grandes mains toutes mouillées, ses avant-bras qu'elle plongeait depuis ses épaules larges, son cou solide, son crâne rasé, ses yeux bruns et foncés, ses sourcils durs, ses lèvres fines autour de ses dents serrées, quand la saleté de saleté ne voulait pas céder. Et encore ses grandes mains, plus grandes que les miennes, ses lourdes bottes piquées de lacets noirs et son air sérieux, absent, un air de femme absorbée par ce qu'elle fait.

Elle bougeait, se transportait d'une table à l'autre, prenait les commandes, sans insolence, sans trop de politesse non plus. Je l'imaginais vivre seule, dans un petit studio près de la station Laurier. Je la voyais rentrer chez elle après une journée de travail, retirer ses bottes et boire de la bière, écrasée dans son fauteuil, le regard épuisé. Je l'imaginais venir de loin, d'Irlande par exemple, à cause de sa carrure ; et ne pas avoir de famille, et ne pas avoir de meilleure amie. Je me disais aussi que la constance de son silence s'expliquait peut-être par la difficulté qu'elle avait à maîtriser le français. Le reste, en tout cas, elle le maîtrisait. Comme la façon décontractée qu'elle avait d'être agressive. Sa manière d'être là, au restaurant, à l'intérieur de ses vêtements, devant le lavabo, près de la poubelle ou du congélateur, en face de moi, derrière moi, le visage posé sur moi quand je lui demandais une deuxième bière, puis une troisième, une quatrième... et toujours, dans sa contenance, cet air entendu des serveuses à pourboire.

Augustine n'était pas idiote. J'avais établi cette conviction l'après-midi où elle avait laissé échapper un petit sourire en me voyant entrer. Un sourire tout de suite effacé, le signe qu'elle venait de comprendre pourquoi je venais aussi souvent. Et elle était restée polie. Mon intérêt pour elle avait été dévoilé, mais Augustine n'avait pas paniqué. Elle était restée polie, n'avait pas joué à la fille-serveuse qui fait semblant de s'en foutre. Elle était restée comme avant, belle et abominable, n'avait rajouté qu'un sourire de plus quand je m'étais levé pour aller régler l'addition.

Je rêvais d'elle. Elle était ma nageuse est-allemande, la *doorman* de mon appartement, mon gardien de sécurité, celle qui me liait les mains pour me baiser plus violemment, qui me donnait des ordres. Elle était la femme qui débarquait dans ma vie comme une bombe nucléaire arrive sur la campagne, m'obligeant à faire des choses basses, que ça me plaise ou non, des choses corsées, qui me plaisaient tout de même. D'être ainsi puni pour l'irrémédiable minable que j'avais été ces vingt-quatre dernières années me soulageait d'un indicible mal. C'était le mois de février à longueur d'année. Nous nous enfermions seize heures par jour et nous jouions à pique, pique, pique, aiguille d'épinette. Je ne descendais au dépanneur que quand il ne restait plus rien à boire, comme un homme qui viendrait de se faire larguer par la femme qu'il aime depuis tout le temps. Comme un con qui n'a plus rien d'autre à faire que de se lancer en kamikaze dans le vide de son verre ; partir ainsi vers l'ennemi et ne jamais plus revenir.

J'ai mis du temps avant de l'inviter à boire un verre ce jeudi-là, après son travail. Mais je l'ai fait. Et je l'ai aimée, toujours de plus en plus, au fil des jours passés ensemble. On a habité le même logement, au-dessus d'une boutique de vêtements, dès l'année suivante. Elle m'apprenait l'anglais, et de savoir qu'elle connaissait un code étranger au mien m'affolait au plus haut point. Augustine passait ses dimanches à lire des magazines américains, à s'intéresser aux *News* du canal 6 et à me rappeler qu'elle était heureuse ainsi, avec moi qui faisais le con pour la voir rire... un peu.

Son impénétrabilité, le fait de ne pouvoir ni la cerner ni la traverser me rendait à moitié fou. Je me disais que son être était fait d'ineffable et qu'elle le savait depuis déjà longtemps. Mais notre amour, à cause de cela, était pour moi presque insoutenable.

J'ai commencé par lui acheter des nappes fleuries, puis une plante verte. Mais non, ça n'a rien changé. Je lui ai demandé : « Qu'est-ce que tu veux, qu'est-ce qui te ferait plaisir enfin ? » Désinvolte, elle me répondit gentiment : « Rien. » Alors je suis reparti de plus belle. J'ai grossi, j'ai maigri, je me suis fait développer les muscles avec des hormones d'étalon. J'ai collectionné des timbres et appris à jouer du pipeau avec mes doigts de pied. Augustine me regardait aller, sans délier le moindre mot. Elle me signifiait que tout allait bien, qu'elle aimait ça comme ça. Mais je ne l'entendais plus. Je l'ai invitée à venir en France avec moi. Elle est venue. Je lui ai fait trois enfants gorgés de santé. Ça n'a rien changé. J'ai mené à terme mes études doctorales, me suis fait raser les cheveux, ai attendu qu'ils repoussent, en ai fait des tresses. J'ai eu une barbe, taillée de toutes les manières, teinte de toutes les couleurs. J'ai aussi acheté une maison, un chalet d'été et loué un condo dans les Laurentides pour y emmener les enfants faire du ski durant les vacances du temps des Fêtes. Et je lui ai encore demandé : «Alors, que puis-je faire maintenant... ? » Mais sans attendre la réponse, j'ai filé dans les grands magasins. Je suis revenu avec des valises remplies de vêtements pour dames. J'ai attendu une réaction. Elle a souri, m'a dit : « Ce n'est pas ça. » Alors je me suis fait tatouer l'épaule : « Ce n'est pas ça ! » Je suis devenu voleur, délinquant, j'ai quitté mon travail et Augustine a rigolé. Je me suis inscrit à des cours de peinture, de yoga, de taï-chi-chuan et d'acupuncture italienne. Mais ce n'était pas encore ça. Je suis rentré saoul, à jeun, rond comme une outre, désespéré, content, fou, joyeux de lui montrer le nouvel anneau que je venais de me faire placer au creux du nombril. Et Augustine continuait de refuser tout ce que je faisais pour elle. J'ai vomi, craché sur la tête des petites vieilles passant sur le trottoir, roté en public, toujours dans l'attente d'une réponse convaincante de sa part au sujet du bonheur qu'elle prétendait partager avec moi. Mais rien.

Le voisin m'a aidé à rénover la maison, à installer une piscine, à entailler la haute haie de cèdres. J'ai changé la voiture, ai emmené Augustine manger dans un grand restaurant où il y a des bougies sur les tables et du vin qui coûte cher. Je l'ai ensuite invitée à danser dans tous les bars de Montréal. Je lui ai fait l'amour vingt fois par jour, l'ai embrassée longuement devant tout le monde. Elle m'a fouetté, j'ai joui ; elle m'a demandé d'aller courir tout nu dans la neige et je l'ai fait. Mais ce n'était toujours pas ça. J'ai continué, elle m'a dit : « Merde ! » On s'est giflé à en avoir mal aux mains. Je l'ai traitée de vieille galoche, elle m'a redit : « Merde ! » Et je me suis finalement calmé, au bout de quarante années de mariage.

Le fil des années qui suivirent fit de moi un homme épuisé et douloureux. En regardant ma femme, toute molle elle aussi, ma femme qui me paraissait tout autant insatisfaite, je ressentais cette impuissance, cette même torpeur qui m'avait rendu homme dès la minute où nous nous étions rencontrés. Après lui avoir consacré toute ma vie, Augustine, de sa voix tremblante, avouait encore : « Ce n'est pas ça, mais ça ne fait rien. Je t'aime. »

LE POIDS DES AMIS

Je n'ai plus d'amis. Il me reste encore une espèce de colocataire qui demeure là de manière à payer la moitié du loyer, mais c'est tout.

Je n'ai plus de petite copine non plus.

Tout comme le téléphone, les chaises pliantes ne servent plus à grand-chose. Les coupons-rabais que j'avais découpés pour faire livrer une pizza extra-large après minuit de chez les Kurdes d'à côté commencent à jaunir. Les oreillers en trop sont maintenant tassés derrière les boîtes de vieux vêtements d'été goûtant la boule à mites, et les petits verres à rhum prennent la poussière.

C'est par des détails comme ceux-là que la vie change.

Ce n'est pas tant que ce soit difficile à supporter, maintenant, la solitude. Reste que la vie est changée. Et on ne peut jamais en faire totalement abstraction, de la vie. Je ne me rappelle pas avoir bazardé tout le monde ni avoir trahi qui que ce soit qui ne l'ait pas mérité. Mais du jour au lendemain, je me suis retrouvé sans ami.

Désormais, j'écoute la télé. Ça fait passer le temps et

ça rapproche doucement de la mort. Je me roule un joint, me fais couler un bain et me prends pour le plus heureux des bons à rien. Je déprime et ça me donne des érections. Au moins, je n'ai plus de problèmes.

J'ai plus de temps pour moi. J'en avais déjà beaucoup. Du temps à prendre comme je le veux, à prendre par tous les bords et dans tous les sens, à prendre par le collet. Du temps, pour attendre qu'arrivent les choses. Du temps. Des minutes pour ne pas faire la cuisine, pour ne plus faire la lessive, pour laisser les sacs à ordures dégoulinants s'entasser près du frigidaire, ne pas me soucier des ampoules qu'il faudrait bien remplacer, des affiches à recoller, des armes à nettoyer, de la pile à remettre dans le machin qui promet de sonner la nuit quand il y a le feu et que tout le monde dort.

Parfois, pour changer des autres fois, je vide les tiroirs de ma commode. Je retrouve des lettres, de vieux chandails de laine, des souvenirs en forme de relations qui me rappellent qu'avant, il y avait autre chose. Ces fois-là, quand le cafard me monte sur les épaules, j'ai souvent une pensée pour la pute qui travaille au coin de la rue, juste en bas de chez moi. Elle est toujours là. Le matin, quand je passe pour prendre le métro de 6 h 30, elle est déjà là. Pour les hommes de bureau qui ont une demi-heure devant eux. On se dit bonjour, elle me sourit, me demande l'heure, du feu pour allumer sa cigarette.

C'est facile à reconnaître, une pute. Ça ressemble à une fille qui attend l'autobus là où il n'y a pas d'arrêt d'autobus. Avant d'arriver ici, j'ignorais tout de ce genre de femme. Maintenant, je sais que les putes sont presque toutes trop grosses, qu'elles ne savent pas s'habiller et qu'elles se coiffent beaucoup trop longtemps à mon goût. En plus de se coucher très tard, elles commencent leur journée à la même heure que les fonctionnaires et les cols bleus. Celle d'ici est assez vieille, les seins au niveau des hanches, aussi énormes que ma tête, le regard gras, les jambes défaites par ses talons hauts. Pourtant, elle sourit. Elle semble même s'amuser, fait tourner sa sacoche en l'air, guette les signes des automobilistes qui passent sans freiner ; elle se déhanche, arpente, négocie, puis se rebalance en marchant, un chewing-gum de plusieurs heures entre les dents, comme un yo-yo.

L'été dernier, on se connaissait déjà. Elle occupait le coin, une partie de trottoir, parfois le banc de l'arrêt d'autobus. En juillet, durant le Festival des feux d'artifice de l'île Sainte-Hélène, elle était encore là. Le matin, l'après-midi, le soir. Tout le temps. Il y avait un million de personnes sur le tablier du pont Jacques-Cartier, les autorités faisaient fermer les rues avoisinantes, mais la pute, elle, n'y allait pas. Les feux éclataient, on entendait les bombes à un kilomètre à la ronde, des bombes à la tonne, comme durant la Deuxième Guerre mondiale. Des Allemands venaient de débarquer sur la plage du Vieux-Port de Montréal. Et la pute, elle, sans s'énerver, travaillait. La rue était déserte, le monde entier s'excitait sur le tablier du pont et une putain, toute seule, attendait gentiment devant la vitrine du vidéoclub.

De la petite pièce qui me sert de bureau, par la

fenêtre, je la regarde faire son métier. Jamais suffisamment habillée pour le froid du matin, trop employée à faire semblant d'attendre quelqu'un. Comme elle ne prend presque jamais de vacances, je m'inquiète pour sa santé. J'ai de l'affection pour elle, ou disons de la sympathie, un peu de tendresse aussi. Pour ceux qui voudraient tout savoir : non, je n'ai jamais couché avec elle. Pas avec celle-là. Elle n'est pas mon genre. C'est peut-être pour ça que je l'aime bien.

Le jour où le Québec retournera entre les mains des autochtones, la pute et moi, on restera tout aussi calmes que maintenant. Sans doute parce qu'on aura compris des choses qui nous permettront de rester encore plus seuls que le reste du monde, et de ne pas trop nous en faire quand la terre tremble, quand la pluie tombe à la folie ou que Loto-Québec offre un gros lot de 20 millions. On continuera de causer. On se voit tous les jours. Je pense qu'elle m'aime bien. Quand ce n'est pas elle, c'est une autre. Une autre pute qui lui ressemble. Un peu plus maigre, un peu moins blonde, un peu plus nerveuse. Une débutante.

*

Il me reste quand même les autobus. La chaleur confortable des autobus montréalais, le matin de bonne heure, quand ils sont pleins de femmes qui se rendent travailler. Elles ne me regardent pas, bien entendu, elles sont beaucoup trop belles pour ça. Elles préfèrent rester seules, comme moi, sans le plus petit des sourires, fidèles au vide autour duquel, depuis toujours, tourne notre existence. J'aime les autobus pour cette unique raison. Et j'aime les putes, peut-être parce qu'elles ont choisi de ne jamais ressembler aux femmes des autobus.

*

En tout cas, je n'aime pas mon appartement. Il y fait tout le temps sombre et humide. La plupart des fenêtres sont si vieilles qu'on ne peut plus les ouvrir. Quand il fait beau, en juillet, grâce au méchant soleil cancérigène de cette fin de vingtième siècle sans cholestérol, chez moi, personne ne s'en rend compte. La cuisine, le petit salon, la chambre du coloc, la mienne, le long couloir conduisant à la salle de toilette, la salle de toilette ; chaque pièce est sombre. C'est en partie à cause de l'énorme bâtiment qui enferme notre cour arrière entre ses murs de brique et ses escaliers métalliques. Sa hauteur vient bloquer la lumière du jour, et nous condamne à rester dans le gris, même le dimanche. On l'a construit il y a longtemps, en évitant de se poser trop de questions. Aujourd'hui, les logements de cette section de rue se louent pour pas cher. À cause un peu des fenêtres à guillotine restées collées par les nombreuses couches de peinture, à cause aussi du trajet du soleil qui ne passe plus par ici, à cause enfin de ce quartier dans lequel personne ne voudrait élever sa famille.

Depuis qu'on a nettoyé la Saint-Laurent de ses prostituées, la traite des filles s'est déplacée vers ce qu'on appelle le quartier Centre-Sud – entre la rue Frontenac et la rue Papineau. Avec elle s'est imposé le contrôle des Rock Machine, devenus célèbres depuis que les Hell's ont fait sauter leur bunker le mois passé. Ils ont acheté tous les commerces de la paroisse de façon à en être les seuls maîtres. Tout le canton leur appartient. Ils ont en leur possession une dizaine de boutiques où l'on peut se faire tatouer toutes les parties du corps, un dépanneur et une boulangerie, administrés par deux familles de Vietnamiens (question de brouiller les pistes), un Vidéoclub Super Bang Power 2000 Extra Anchois, une église latino, un magasin de matelas et une laverie. En dessous du monolithe d'à côté se cache la Terrasse Belhumeur. La seule dont je ne sois pas encore tout à fait certain de la corruption. Elle ouvre ses portes très tôt le matin, presque en même temps que la pute. Les premiers mouvements de la ville, encore engourdie par l'insomnie de la nuit, n'empêchent pas quelques vieux retraités de l'endroit de boire leur grosse *50* pour déjeuner. Le soir, on n'y compte jamais plus de vingt personnes, mais le matin, dès six heures et demie, sept heures, de nombreux alcoolos s'empilent devant la porte.

Au-dessus de la Terrasse, c'est-à-dire à côté de chez moi, se trouve une formidable maison de chambres. C'est là que logent la plupart des putains du district, une demi-douzaine de junkies et quelques autres personnages carnavalesques. L'entrée principale donne directement sur mon balcon arrière. L'été, quand il y a trop de chaleur pour ne pas ouvrir, j'ai l'impression de loger avec eux. J'entends tout ce qui s'y passe, tout ce qui s'y dit. Des types s'engueulent, des chiens se font marcher sur la patte, des individus y viennent par dizaines, gravissent les escaliers de secours, restent un moment et repartent. Ce genre de circulation dure jusqu'à très tard dans la nuit. L'activité est parfois si intense que le son de ma télé n'arrive pas à enterrer les rires ni les déplacements.

Comme on loue au mois, il est facile de ne pas payer, de filer sans aviser le proprio, de loger à dix à l'intérieur des huit mètres carrés alloués pour cent vingt dollars. La semaine dernière, une chambre a été complètement vidée de son contenu. Tout ce qui s'y trouvait a été balancé dans les escaliers. Quelqu'un a disparu, s'est fait enlever par son tout dernier rêve ; ou l'héroïne est venue l'achever, sans lui laisser le temps d'acquitter toutes ses dettes. Quelqu'un que personne ne connaissait, qui est né sans famille, qui n'a pas eu de petite amie quand il était adolescent, mais d'autres malchances dont les CLSC ne parlent même plus. Le concierge a tout fait entrer dans de gros sacs verts : les vêtements, le miroir, le cadre avec la Lamborghini Countach dessus, la cage de la perruche, la perruche encore dedans, et tout le reste. Un voisin m'a raconté que, l'an passé, on a fait descendre un réfrigérateur en le jetant par la fenêtre du deuxième. Il est allé s'écraser dans le parking de la ruelle. Il y est resté plus d'un mois. Les meubles et les cochonneries de la chambre aussi sont restés là, à obstruer le passage pendant un bon moment. Les éboueurs ont fini par les ramasser un matin.

*

À l'époque où je sortais avec la plus belle fille du monde et que ça ne donnait rien, il m'arrivait de pouvoir rester toute une journée au balcon à attendre que sonne le téléphone. Perché au-dessus de la rue Ontario, je voyais tout. Les trois types d'en avant qui ne font rien d'autre que de rester accotés à la vitrine de la laverie à regarder l'heure de pointe approcher. Des vieux qui causent avec le livreur de bière du dépanneur de l'autre côté de la rue, qui imposent leurs remarques d'impuissants aux filles s'aventurant dans le secteur. Ils fument, toussent, perdent leur vie ensemble. Ils ne sont ni les propriétaires de la laverie ni des clients assidus, ni rien. Ce sont des hommes historiques, attentifs au monde qui les entoure, comme il y en a dans toutes les villes et tous les villages du monde entier : des poètes, sans doute. Ce sont eux qui voient les voleurs s'enfuir, qui connaissent le prénom des tenanciers de tous les bars du quartier, les magouilles qui ont permis à l'un de refaire la devanture de son bistro, à l'autre de pouvoir garder ses portes ouvertes sans avoir plus de deux clients par jour. Ce sont eux que les policiers interrogent sans succès, eux qui connaissent les allées et venues de tous les locataires des immeubles de ce quadrilatère. Ils pourraient nous dire à combien d'urgences ont eu à répondre les pompiers de la caserne 19 depuis l'an dernier, à quelle heure se font les changements de putes et sur quel trottoir elles auront à se tenir durant la semaine qui débute. Comme les putes, les vieux sont fidèles.

*

Des raisons de vivre, je n'en ai plus beaucoup. Et pourtant je ne flanche pas. Sans grands éclats de rire, sans envie de danser jusqu'à très tard le soir, de lire, de feuilleter le journal ou d'aller voir les derniers films. Il m'arrive aussi de garder les mêmes vêtements sur le dos durant plus de quatre jours, d'oublier de dormir et de ne pas aller faire l'épicerie quand il ne reste qu'un pot de mayonnaise pour souper.

La première page de *La Corniche* de cette semaine vient d'annoncer que le gouvernement Bourque s'est enfin résolu à injecter vingt millions de dollars cette année dans la restructuration de l'urbanité du secteur Hochelaga-Maisonneuve. Mon quartier : Papineau en sens unique, prison de Parthenais, pont Jacques-Cartier majestueux, jaune quelquefois, lorsque le soleil finit par s'endormir. Le pire des quartiers de ce monde, peuplé des personnes les plus pauvres de toute la ville, agglomérées ici, autour de mon appartement.

Constatant l'ampleur de la pauvreté qui règne ici, à l'est de la rue Papineau, dans le comté Sainte-Marie – Saint-Jacques, des architectes, des secrétaires, des psychologues, des travailleurs sociaux et autres employés municipaux tout aussi burlesques ont été dépêchés sur le terrain. Le journaliste a dit que ça ne se pouvait pas des rues si blêmes, des enfants aussi décolorés habitant des maisons aussi sombres, tellement que, trois semaines plus tard, un rapport de mille pages a été produit. Résultat : dès l'été prochain, on va s'affairer à rénover des centaines de logements. Gratuitement, deux nouveaux parcs remplis de fleurs en plastique et de gazon tout neuf vont être aménagés, des circuits d'autobus seront rajoutés inutilement et les réverbères redressés.

À la télé, ils n'ont toutefois pas précisé que les gens d'ici n'avaient rien demandé. Ils n'ont pas dit que la pauvreté est bien trop subtile pour se laisser abattre aussi facilement par une bande de fonctionnaires qui n'ont pas eu les couilles d'aller demander aux familles de la rue Dorion si la pauvreté, par hasard, ça ne serait pas dans la tête. Un peu comme la vieillesse. Si la pauvreté, ça ne serait pas autre chose qu'une simple question d'argent.

C'est drôle : je pense aux trois vieux d'en face et je me demande ce qu'ils feraient avec un million de dollars remporté tout d'un coup à la loto. Peut-être qu'ils mourraient. Morts de n'avoir plus de raison de s'inquiéter de leur chèque, du linge à dénicher au comptoir familial le jeudi matin et de ce que prédit la météo au sujet du soleil de Floride, là où ils n'auront jamais la chance d'aller se baigner. Comme pour tous mes autres voisins, s'ils survivent, ce sera grâce aux émissions de télé l'après-midi, grâce à la caisse de douze engloutie avant le souper et à toutes ces soirées passées assis au balcon, à parler au téléphone ou à crier après les enfants qui dessinent avec de la craie sur le trottoir. Même millionnaires, ils vont continuer de manger du *Kraft Dinner* parce que c'est la seule chose qu'ils sont capables de trouver vraiment délicieuse. Ils vont encore se soucier de la saveur de la nourriture du chien, du prix de la carte d'autobus qui menace d'augmenter et du congédiement du dernier entraîneur des Canadiens.

La vie, c'est comme ça qu'elle est faite pour un pauvre. L'argent ne donnera jamais l'envie aux vieux fous d'en face d'écouter Denise Bombardier ou d'aller parler de nouvelle littérature française sur le Plateau Mont-Royal avec des amis professeurs de cégep. Les pauvres restent entre eux, bien circonscrits, attachés à leurs services sociaux. Quand on habite à moins de douze mètres du quartier général des Rock Machine, qui peut sauter à tout moment du jour ou de la nuit, on est fier d'être vieux, pauvre, seul et abandonné du reste de la vie, pute, chien ou flaque de vomi. Ça rend peut-être différent, ça donne peut-être envie de crever aussi. Personne ne le sait, au fond.

LA HAUTE-SAVOIE

J'ai connu mes plus beaux orages à dix-neuf ans. À cet âge-là, habituellement, il ne se passe jamais rien de bien brillant dans la vie d'un jeune homme. C'est pour ça que certains stoïciens l'ont baptisé l'âge ingrat. Pour ma part, j'avais décidé d'aller passer trois mois de cette ingratitude en Haute-Savoie. Sac au dos, bikini, brosse à dents. La France en montagne, rien de tel pour oublier l'adolescence.

La Haute-Savoie, c'est justement la montagne. Comme bien des fils de banlieusards, j'ignorais tout des indigestions climatiques que l'été du mois d'août infligeait au ciel de ces montagnes. J'avais réussi à me trouver un emploi de plongeur dans un centre récréatif qui recevait des personnes âgées durant le mois de juin, tandis que ses dortoirs étaient réservés aux enfants de tous âges, de juillet à septembre.

Je faisais donc passionnément la plonge pour tous ces visiteurs ainsi que pour quelques francs. De mon évier, je n'avais qu'à me retourner légèrement pour apercevoir le mont Blanc. Il s'est révélé à moi sous d'infinis aspects. Ceux qui travaillaient là toute l'année me confiaient ne l'avoir jamais vu deux fois identique. Le paysage et ses changements leur faisaient tout simplement perdre le présent, oublier les assiettes et les verres à vin qu'il faut souvent reprendre quand on les veut sans tache, ne plus voir les draps et les torchons, les carreaux à nettoyer, le carrelage à faire reluire. Un paysage, comme ils disent, à faire revenir un fou de chez sa mère.

La Haute-Savoie est installée en partie entre la frontière de la Suisse, le creux du lac Léman, le Nord de l'Italie du Nord et le reste de la France. À cause de l'intérieur massif de sa chaîne alpestre, le climat qui y fermente est l'unique vrai dirigeant de la région. D'une heure à l'autre, les orages peuvent exploser sans même que la météo n'ait le temps de les voir arriver.

Les gouttes de pluie tombent tellement fort qu'elles remontent jusqu'au ciel et restent suspendues à d'autres nuages en formation. Elles tuent les rosiers, assomment les jardins, ravagent, écrasent, exterminent les fleurs de la saison. La pluie défriche jusqu'à la racine et parfois, dans les pots près des fenêtres, plus rien ne poussera avant le prochain été.

Avant le noyau du grain, quand le temps est encore gris, il faut se presser d'aller débrancher tous les gros appareils électriques de la maison pour ne pas qu'ils grillent. Si on les oublie, c'est foutu. À coup sûr, la foudre va tomber à moins de cent mètres. Elle va atteindre l'électricité des fils et se rendre jusque dans les fiches. Alors, la photocopieuse, les ordinateurs, le grille-pain et le fax vont se taper un court-circuit bien en règle. Il faut ensuite faire venir le réparateur débordé de travail, remplacer des pièces introuvables, etc.

La nuit, comme la montagne est toujours loin des feux de la ville, on ne voit absolument rien. Les constellations se laissent alors identifier par quiconque sait les reconnaître. Mais il fait noir. Plus noir encore qu'une nuit de plage, de forêt ou de plaine. La nuit de la montagne est la plus noire de toutes les nuits. Lorsque l'atmosphère choisit de s'y perturber, les éclairs, par milliers, sont si intenses qu'on se croirait en plein jour. On ne peut pas tous les compter tellement il y en a. La lumière déchirée descend parfois tout près, sur un arbre ou un poteau que l'on entend exploser aussitôt. Ce sont parfois les éclairs qui allument les feux de forêt, l'été, en Savoie comme en Provence.

Les souvenirs les plus marquants de cet été de travail sont ces orages de montagne. Je me rappelle avoir eu peur et m'être dit que c'était la première fois que j'avais aussi peur de la nature. Quand on est tout petit au beau milieu du vent battant, de la pluie qui n'a plus d'angle, des éclairs qui se battent entre eux, qui glissent, coulent, se démettent le bas des reins, traversent et massacrent enfin le coton pommelé du système nuageux, l'impression d'une angoisse locale afflue depuis le fond du ventre. Une peur avec laquelle on ne se réconcilie pas. On sait vraiment que, pour une fois, il n'y a pas de solution, que même le gouvernement, même les policiers, même les mères et les pères ne savent que faire pour que l'humain, cette fois, ne soit pas le perdant.

*

43

Le matin, je me levais à sept heures et demie pour aller attendre Calendrier, le boulanger du village d'en bas, qui nous apportait quotidiennement ses quarante-quatre baguettes de bon pain frais. Comme j'en étais le récepteur attitré, j'avais le privilège de m'enfiler le premier, tous les matins, une demi-baguette, encore chaude et fraîchement beurrée. Un grand bol de café brûlant servait à faire passer le tout. Après ce petit-déjeuner que je mangeais seul, il me fallait trancher les pains et allumer le gaz des énormes éléments de la cuisinière sur lesquels je mettais à chauffer une vingtaine de litres de lait. Les uns après les autres, les enfants du camp se levaient, descendaient au réfectoire, encore en pyjama, à la recherche d'un chocolat ou d'un café.

Après le petit-déjeuner, Max le chef me faisait gratter le fond du grand faitout dans lequel j'avais indubitablement fait brûler le lait. Comme il est physiquement impossible de faire chauffer du lait sans tout faire coller, je ne pouvais éviter la corvée de décapage. Ça entamait bien la journée.

Il est un peu difficile d'essayer de décrire Max en quelques lignes. Entre le fasciste et le tendre qui a fait passer ses sentiments au hachoir à viande pour ne plus essuyer la honte qu'ils procurent devant les autres, Monsieur Max n'était pas vivable. Il me gardait régulièrement les dix kilos de pommes de terre à peler, la salade à laver, la coquille des œufs durs à écaler et, bien évidemment, la grosse vaisselle à récurer. Mais je ne disais rien. Il y avait le paysage, la France et le bon pain. Je me fichais bien des sournoiseries de Max. Il pouvait me faire rincer tous les planchers de la cuisine, vingt fois par jour, la France restait la France, le vin de Bordeaux ne coûtait rien, la tomme non plus, et ça me rendait heureux.

Avant de retourner en cuisine, à seize heures, pour mettre une dernière touche au repas du soir et retrouver la cruauté de Max le fasciste, je lisais mon courrier, y répondais. Jamais plus d'une lettre à la fois, car il me fallait garder de l'énergie pour le travail. Je racontais mes matinées passées auprès de Max, la crise d'hystérie qu'il m'avait faite à propos de la machine à couper le pain. Tout ça parce que je l'avais nettoyée sans prendre soin de la débrancher. Il m'a gueulé dessus comme un fou, prétextant que j'aurais pu me faire couper la main, et qu'après, il lui aurait fallu tout faire sans moi, etc.

Il était comme ça, Max. Ceux qui ne s'y habituaient pas, il les faisait pleurer. Il était surtout comme tous les cuisiniers qui se prennent pour des chefs. Préoccupé par la cuisson et par la propreté, Max s'octroyait le droit de hurler après tout ce qui se déplaçait. Et comme je servais de p'tit con de service – j'étais payé pour ça, au fond –, je dégustais. Par exemple, lorsque le menu nous demandait d'utiliser le four, c'était toujours à moi de l'allumer. Max m'avait parlé de la fois où une petite cuisinière n'était pas arrivée à l'allumer assez vite. Le gaz s'échappant depuis plus de dix secondes, quand le feu a pris, tout a sauté. Et la petite avait failli mourir calcinée. Depuis, Max ne s'occupait plus du four. J'essayais donc, avec la grande allumette, de mettre une flamme au bon endroit, juste au bon moment. En vérité, ce putain de con de four prenait une éternité à vouloir s'allumer. Quand je réussissais, c'était comme si je venais de remporter l'or aux Jeux olympiques d'Albertville. Avec ses conneries, Max m'a fait comprendre que la peur existe pour tout le monde. Mais j'ai souvent pensé que l'histoire de l'explosion du four, c'était lui qui l'avait inventée, rien que par méchanceté. Je crois que personne n'est jamais réellement mort en l'allumant. Je crois même que Max prenait plaisir à me voir suer, accroupi devant le petit trou, effrayé par les interminables secondes qui s'écoulaient et le bruit du gaz qui s'échappait.

Si Hitler avait eu des lunettes, il aurait ressemblé à Max. Si Max avait été le grand patron de la montagne, je crois qu'il m'aurait fait repeindre chacun des arbres en violet.

Un vendredi, une fois la soupe passée à la moulinette, Max décida de nous lancer dans un grand ménage. Le vent s'était subitement levé tout juste après le déjeuner et la pluie s'écroulait déjà sur Fillinges. On s'était partagé les tâches afin de pouvoir terminer en un temps raisonnable. Évidemment, c'est moi qui avais hérité de la hotte et des réfrigérateurs, Max s'étant accordé les électroménagers, la table à découper et les gros ustensiles. Alors que j'avais la tête enfoncée dans l'évier et que je chantais pour montrer à tous que le vieux Max ne m'avait pas encore achevé, un bruit inhabituel venant de l'autre côté du grand comptoir me fit sursauter. Une sorte de *scrotch*. Je me relevai subitement pour voir le Max revenir tout pâle, la main enroulée dans un linge. Max terrorisé. Mon Max. Cet inébranlable fou, devant moi, tout faible, tout petit, tout Max, une larme au coin de l'œil, la panique au bord des lèvres :

— *Faut que tu m'aides, petit.*

— *Qu'est-ce qui vous arrive, Max ?*

— *Faut qu't'appelles ma fille chez moi, petit, qu'elle vienne me chercher.*

J'ai tout de suite compris, en voyant sa main pisser le sang, que Max avait oublié de débrancher la machine à trancher le pain avant de la nettoyer. La lame n'avait fait qu'un tour et était venue fendre toutes les veines parcourant le dessus de sa main. Il n'avait pas eu le temps de retirer son bras. Connerie de machine.

Je suis resté seul à terminer le grand ménage. Max a filé à l'hôpital. Sa fille est venue le chercher. J'ai servi les cent cinquante repas du soir sans aide. Du gratin dauphinois avec des petits bouts de jambon. J'ai pris la place du chef, par devoir, toujours ébranlé par le visage javellisé de Max, resté en souvenir. La pluie, évidemment, n'a pas cessé de tomber. Le ciel avait rapetissé, l'eau fouettait à grands seaux. À l'intérieur, tout était plus silencieux qu'à l'accoutumée. En cuisine, je me rappelle, il faisait vraiment très chaud, vraiment très gris.

Il n'a plus jamais été le même par la suite, le Max. Je ne peux pas dire qu'il s'est adouci ou qu'il est devenu gentil et souriant. Peut-être seulement que cette fois-là, la machine à trancher les baguettes lui a fait comprendre quelque chose qui le concernait personnellement. Un truc bien à lui. Un truc qui ne nous regarde pas et qui a transformé le chef qu'il était.

*

Je suis resté à Fillinges du 20 mai au 15 septembre. Il faisait froid le matin, mais on pouvait crever de chaleur l'après-midi lorsque le vent tombait. C'est d'abord là, avec cette chaleur, cette retenue, toujours vivante, fondue dans mon bonheur, les orages qui donnent envie de mourir, le vin, la France et ce qu'elle est toujours, le fromage, *L'été 80* de Duras et la cuisine de Max, que j'aurais pu devenir idiot. La peur, elle existe partout. Même dans le cœur des fascistes comme Max. Oui, c'est grâce à cet été orageux de la Haute-Savoie si je ne suis pas devenu fou.

J'ai appris il y a deux mois que Max prenait sa retraite à la fin de l'hiver. En raison des nombreuses difficultés économiques, le département a aussi décidé de fermer temporairement le bâtiment. Les patrons, trop honnêtes, vont être mutés ailleurs. L'herbe va pousser ; la pluie, elle, va continuer ses ravages. Max va attendre de mourir. Il cuisinait là depuis l'âge de quatorze ans. Avant, c'était son père. Il va se mettre un chapeau de paille sur la tête, va peut-être se faire un petit jardin, s'acheter un chien, attendre que passe le temps, se rappeler de moi, le seul aide-cuisinier à ne pas avoir cédé devant lui, à ne pas avoir craqué. Oui, j'espère qu'il se souviendra.

NE DORMEZ PAS

Son corps, paraît-il, avait été littéralement coupé en deux sous l'impact. Sa mère l'avait identifié en reconnaissant ses bras. Les bras de son fils, à la morgue, dans un tiroir. Elle a dit au médecin légiste, effrayée : « Oui. Je reconnais ses bras. Ce sont les bras de Philippe. » Parce qu'il ne restait plus rien de la tête, écrasée elle aussi, comme les jambes, contre le tableau de bord, le capot et le châssis, bref, tout le devant de la Honda. La voiture appartenait à sa mère.

Philippe n'était pas seul. Son meilleur ami dormait sur la banquette arrière et une fille cueillie au bar d'où ils revenaient était assise côté passager. Ils sont morts tous les trois. Instantanément. Philippe s'est probablement endormi au volant. Assoupi par l'alcool qui fait rater les courbes. La voiture a foncé droit sur le pilier d'un viaduc de l'autoroute des Laurentides, sans même avoir dérapé ni ralenti. Des sept morts accidentelles de ce week-end de février, ce seul événement en comptait trois.

Au salon mortuaire, les cercueils étaient restés fermés. On avait placé une photo de chacun sur les couvercles, la photo de leur promotion. À dix-neuf ou vingt ans, c'est souvent les plus belles photos qu'il nous reste.

Au moment de sa mort, Philippe n'était plus vraiment mon ami. Le cégep nous avait séparés, une ou deux disputes bien franches aussi. Mais il avait déjà été mon meilleur copain. Dans l'album des finissants, sur les quatre photos où je me trouve, Philippe n'est pas loin. Nous étions toujours ensemble. L'été de nos seize ans, nous n'avions fait que ça, être ensemble, à écouter les finales de hockey, à boire de la bière dans les parcs ou sur la voie ferrée, à aller perdre nos soirées avec d'autres amis, dans les brasseries où nous n'avions légalement pas le droit d'entrer, mais où il y avait des femmes. Belles comme elles le sont à dix-huit ans, avec des cheveux longs et de vraies boucles d'oreille, du rouge sur les lèvres et un sourire magique. Philippe était le modèle à suivre en ce qui concerne le domaine des femmes. Il avait l'assurance que je n'avais pas encore, la certitude d'être beau, le plus beau, et qu'aucune ne pouvait lui résister. Beau, il l'était. Celles qui lui résistaient ne pouvaient pas prétendre sans hypocrisie ne jamais l'avoir remarqué. Il était connu. Par son rire abandonné, sa condescendance quand il nous écoutait, cette condescendance que j'ai gardée, par respect pour son âme.

Il y a des élèves qui, durant leurs études secondaires, passent inaperçus. Ils vivent, augmentent le nombre d'adolescents du collège, existent, mais sans avoir de nom. Philippe n'était pas de ceux-là. On aurait pu entendre parler de Rainville cinquante ans plus tard, et tout de suite on se serait souvenu de lui, de l'arro-gance dans son attitude, des prises de bec qu'il osait mener contre le prof de maths, des débats qu'il rem-portait toujours. Personne ne le détestait vraiment, sauf les jaloux, les handicapés de l'estime, ceux qui choisis-sent de se remettre en question avant chaque phrase afin de ne jamais dire la vérité et d'avoir l'air intelligent. Des complexés, comme il y en a dans toutes les strates adolescentes d'une génération. Philippe importunait tout le monde par la force sans fond qu'il gardait en lui. Son intarissable force.

Philippe avait toujours la maison pour lui tout seul. Son père n'existait pas et sa mère, qui l'avait élevé tant bien que mal tout en menant à terme de brillantes études de droit, battait maintenant en retraite dans l'ap-partement de son chum. Une maison, quand la mère n'y est pratiquement jamais, c'est l'endroit rêvé pour les *partys* et une adresse pour se commander des pizzas en toute liberté, à volonté, à longueur de semaine.

Sa blonde était une des plus belles. Même ceux qui ne l'admettaient pas facilement rêvaient en secret d'en baiser une comme elle. Ils ne l'admettaient jamais spon-tanément, de façon à ne pas trop en accorder à un seul individu, surtout quand l'indolence de celui-ci faisait déjà l'envie des autres. Pourtant, Philippe restait un vrai, le roi du monde, le seul à ne pas être blasé de tout, à croire en son pouvoir détraqué. Sans doute l'avenir aurait-il su le calmer, à force de gifles de vie et de coups de pied d'échecs. Mais à cette époque, Philippe ne fai-sait de la vie qu'une pomme à croquer.

Déjà convaincu que la vérité se trouvait dans le cœur des gens controversés, je passais tout mon temps avec Philippe. Je l'ai connu lorsqu'il a acheté sa première voiture. Une Volkswagen Golf noire 1984. Manuelle, cinq vitesses, quasiment pas rouillée. Il avait eu son permis de conduire la semaine d'avant, quelques jours seulement après la fin des examens scolaires. L'été s'ouvrait à nous, timidement, et promettait des journées folles, des changements radicaux, une évolution certaine pour notre vie future, la vie qu'il nous restait, avec fracas.

Je me rappelle qu'une fois, alors que nous avions tous les deux trop bu, j'étais monté dans son auto pour qu'il me ramène à la maison. Il m'avait rassuré, tenant le volant bien droit. Au fond, en conduisant très lentement, les flics n'avaient pas de raison de s'en prendre à lui. Pas besoin de s'inquiéter ; l'important était de suivre les lignes jaunes et de ne pas s'en faire. Le soir où la Honda s'est écrasée, Philippe faisait, selon les pompiers, du 110 à l'heure. La neige tombait silencieusement, comme lors d'un soir de Noël.

Ce n'est pas l'alcool qui l'a tué. Ce n'est pas la neige. C'est peut-être le sommeil. Je crois surtout qu'un type comme lui ne doit pas aller plus loin que ses vingt ans. Parce qu'après, c'est l'existence qui commence. Philippe est mort de son assurance, de sa certitude d'être à la hauteur des plus grands. Il est mort de sa connerie, parce qu'il était Philippe Rainville et qu'il était le seul à l'être, et qu'il l'est resté jusqu'à ce soir-là. Les années qu'il n'a pas vécues l'auraient modernisé, déformé jusqu'à ce qu'il ne puisse plus respecter ce nom, le sien : Philippe Rainville.

Je n'ai pas eu le courage d'aller voir le cercueil exposé. Je me disais qu'il allait comprendre. Je n'ai jamais donné signe à sa mère non plus, que j'avais pourtant bien connue. Je me suis enfui. J'ai pris l'autobus et je me suis laissé longtemps traîner à travers la ville, comme je le fais quand j'ai de la peine. Je savais pour sa mère. Je savais que cette femme-là ne s'en remettrait pas. Tout le monde le savait.

La semaine suivant le drame, on s'est retrouvé, quelques amis et moi, à la cafétéria du cégep. Il y en avait qui ne parlaient pas. Il y a des gars qui n'ont pas bronché. Mais il y a eu ceux qui ont continué d'envier Rainville. Comme si sa mort subite lui redonnait une fois de plus la première place. Ils ont poussé la dérision jusqu'à redire du mal de lui, jusqu'à l'envier, l'envier d'être mort, de faire parler de lui, de voler le spectacle encore une fois, pas même un cheveu de remords dans la voix.

Je me suis enfui à bord d'un autobus. Couché sur un banc, durant des heures, j'ai pleuré fort. Hurlant contre l'horoscope qui ne nous avait pas prévenus, contre le hasard et les pneus usés. Après Philippe, il n'est vraiment resté que moi, pleutre, caché dans un autobus. Il est resté sa mère, cette veuve à jamais dégonflée. Et il est resté le manque de respect de ces cons sans pudeur, que je compte bien finir par tuer un jour ou l'autre.

Certaines personnes prétendent avoir appris le racisme, la cruauté et la barbarie dans les camps d'Auschwitz. D'autres encore ont appris l'idée du mensonge, de l'hypocrisie et de la dépravation avec les religieux du

53

pensionnat. Moi, par la mort de Philippe, j'ai compris que, pour le reste de ma vie, de toute ma détermination d'enfant de seize ans, j'allais détester le genre humain. J'ai compris que je m'acharnerais toujours à briser des carreaux, à vider des verres et à faire peur à tout ce qui est heureux.

Fred, lui, un peu plus orgueilleux que les autres, n'a pas voulu aller brailler au salon mortuaire. Il a tout de même tenu à voir la carcasse de l'auto. Pour le spectacle. Pour voir si ça ressemblait à ce qu'on nous montre dans les films. Mais quand il est arrivé devant, dans le stationnement du garage au coin de la rue, quand il a compris dans quel état devait être le corps du chauffeur, coincé entre le volant, le siège, le pare-brise et le poids du moteur, sa fierté n'a pas tenu. La peur l'a envahi. Et Fred est allé au salon. Devant le cercueil, quelqu'un me l'a raconté, il a récité une prière.

J'admirais Philippe. Je pense à ces fois où j'entendais son rire résonnant en tempête dans la classe. Son rire qui, tout le temps, malgré la mort, résiste aux imbéciles. Ce rire qui nous a tous plus ou moins fait voir les choses en face : l'amitié, la haine, la solitude, le malaise d'avoir été absent quand ils sont tous les trois sortis du bar, de n'avoir pas vu s'éloigner la voiture une dernière fois.

Aujourd'hui, si vous revenez du Nord en empruntant l'autoroute des Laurentides, sur le rempart du pont où Philippe et les autres se sont tués, un inconnu a écrit avec de la peinture : « Ne dormez pas ! » On ne sait pas trop qui a fait ça. Mais tous ceux qui ont connu Philippe savent pourquoi c'est là.

LES FEMMES PRISES EN PAQUET

On a été présenté l'un à l'autre par des amis. On avait, elle et moi, paraît-il, le même caractère, ou quelque chose de compatible. Il a fallu attendre que tout le monde soit couché et endormi pour commencer à se parler. Je l'ai écoutée ne rien me dire jusqu'à cinq heures du matin. Tout a débuté sur le divan du salon pour se terminer dans mon lit, l'un près de l'autre, ma jambe touchant la sienne, une conversation fragile pour étouffer le silence. Elle n'a rien fait. Elle attendait. Parce que toutes les autres fois, elle s'était fait baiser. Comme ça. De la part d'un homme qui ne savait pas qu'une femme peut aussi se dévouer, quand on lui en laisse l'occasion et le temps. De la part d'un premier homme, puis d'un deuxième, d'un troisième et ainsi de suite. Des hommes ne sachant pas se tenir, ni faire autrement.

Elle avait bu beaucoup. J'avais fumé je ne sais plus combien de joints. Elle était venue de Québec pour me voir. Pour aucune autre raison. Je voulais l'entendre me parler d'elle et c'est à ce moment-là qu'elle m'a dit : « De toute façon, on ne se reverra probablement jamais. » Ça, je le savais déjà depuis le début. Pas parce que j'étais con, puisqu'elle était là, étendue dans mes draps, le bras gauche sous mon 'oreiller, bien à l'aise, compte tenu du peu que je lui demandais. Il y avait le silence, tout autour du bruit apaisant de ma petite chaufferette portative que je traîne toujours avec moi et que je laisse souvent tourner la nuit. On ne se reverrait sans doute jamais parce qu'elle était de Québec, qu'elle y était née, et que sa vie là-bas, outre ses parents chez qui elle habitait toujours, allait bien. En raison des amis qu'elle traînait depuis l'enfance, de ses sessions à l'université et de la peur qu'ont habituellement ces gens-là des grandes villes comme Montréal, elle ne changerait jamais de lieu. Elle m'a dit qu'on ne se reverrait peut-être pas, et elle était quand même couchée près de moi, absurde, à attendre que je lui saute dessus. Des personnes qui n'écoutent pas quand je parle lui avaient dit que j'étais quelqu'un d'intelligent. Elle a compris qu'il fallait coucher avec moi, au moins une fois. Pour voir si dans l'intelligence il n'y aurait pas enfin quelque chose de différent. Je crois l'avoir déçue.

Alors nous avons essayé de faire l'amour. Tranquillement. Je l'ai fait pour les mêmes motifs qu'elle. Puis le sentiment de baiser avec rien m'est venu. Un corps. Celui d'une fille qui n'existe pas dans ces moments-là, en faisant tout de même ce qu'il faut pour que ça prenne des allures de cul. Mais juste ce qu'il faut, techniquement, sans imagination ni matière. Sans excitation relative. Sans enivrement.

Après, un peu comme si quelque chose lui revenait à l'âme, elle m'a pris entre ses bras. Pour me serrer. Très fort, très fort. Longtemps. La tête appuyée contre l'os de mon épaule, les cheveux éparpillés, pour récupérer quelque chose qu'elle espérait trouver, pour reprendre ce qu'elle ne savait pas chercher. De l'amour, peut-être.

Il faisait matin quand nous avons fini par nous endormir. Elle est partie avant mon réveil. Sans un mot, sans même oublier quelque chose, ses cigarettes, son briquet ou ses grands bas noirs qui la rendaient si dure. Sans rien. Je ne connais ni son numéro de téléphone ni son nom de famille. J'ignore pourquoi la sexualité, pour elle, est réduite à cela. Pourquoi les femmes de cette année, souvent, regrettent de vivre, font l'amour et meurent, irréductiblement regroupées entre elles dans une horreur où règnent à la fois la fatigue et l'incapacité de se reposer.

*

Le lendemain soir, entre deux nausées, j'ai pensé à toutes ces filles que j'ai réussi à baiser, au détour d'une ruelle, d'un bar, sur un coin de lit, dans une cuisine, chez une amie, enfermés dans un sac de couchage qui sent le moisi ; à cause d'un film, d'une petite ligne de coke, d'un coup de téléphone donné juste au bon moment. Que j'ai baisées les nuits où je ne me sentais plus assez homme pour affronter la solitude, après que les danseuses eurent fermé leurs portes, après trois heures, lâchement, un matin monstrueux, avec et sans condom, une érection mitigée quelquefois, sans vertu, avec évitement, en préférant la gloire que donne le fait de pouvoir les compter, de changer de dizaine, sans amour, sans le risque d'y perdre gros, sans monde entier. Toutes celles qui m'ont gauchement préparé des pennine romanov rien que pour m'impressionner. Des filles beaucoup trop belles pour coucher avec moi, qui vivent maintenant leur vie, dissimulées dans toutes les villes de l'univers, comme elles l'étaient avant de me rencontrer.

Cousues les unes aux autres, elles m'ont donné une image de la femme. Une image fausse faite de filles vraies. Une image flottante, non exhaustive, à laquelle j'ai cru ce lendemain soir et à laquelle je crois encore certaines fois, certaines fois seulement, sans y tenir vraiment.

C'est parce que j'en ai baisé, que j'en ai écouté. Parce que des femmes, beaucoup de femmes, m'ont parlé avec urgence, la voix frissonnante, le regard bouleversé, humide. Parce qu'elles m'ont engueulé aussi, m'ont offert des crises mémorables, des poussées de jalousie, des coupes de vin éclatées dans le fond du lavabo, des appels de détresse ; parce qu'elles m'ont avoué des malaises, tout plein de vieux malaises obstinément accrochés à leurs souvenirs. Parce que j'ai senti la peur dont elles étaient la proie, la peur de ne jamais être aimées réellement. C'est pour ça, peut-être, qu'elles se laissaient baiser pour rien, pour une Gitane, un sourire facile et niais, un sens de l'humour con, par des cons. Comme si l'amour n'était qu'une question de demande et de plaisir, comme si le capitalisme avait tué aussi loin.

*

Évelyne, une amie, me confiait récemment être allée dormir chez un gars rencontré dans un bar. Elle était contente parce qu'il l'avait rappelée trois jours plus tard. Après tout, il aurait pu ne pas le faire, s'en foutre. Mais non, il a voulu la revoir. Probablement pour en profiter de nouveau.

C'est comme ça, pour elle, pourtant si belle. Si on veut des hommes, il faut baiser avec eux dès la première fois, facilement, en évitant de complexifier les choses. Quelques mots échangés dans la musique, autour de la piste de danse, sous les éclairages étourdissants et l'effet de l'alcool. Puis la baise. Dans le noir le plus total. Et l'attente d'un appel, d'une lettre comme plus personne n'en envoie, d'un écho. Sans ces contraintes des rendez-vous qui coûtent cher de toute façon, des soupers au resto ou des balades à la campagne. Non. Comme ça se fait à Montréal entre les gens vachement branchés de la rue Saint-Denis, les cent mille lecteurs du *Voir*, je suppose, qui envoient des lettres au Courrier du lecteur, vont manger dans les bistrots du Village gai et aiment résolument toutes les créations de Robert Lepage en se prenant pour la plus authentique des générations perdues. Enfin, les gens de maintenant.

Ce qu'ils ne savent pas, ces gens de maintenant, c'est que les femmes n'aiment qu'une fois. Après, elles voient les choses autrement. Après, c'est différent. Elles aiment une première fois, complètement, puis se font soit larguer, soit tromper. Ou alors, ce sont elles qui larguent. Parce qu'elles ont peur de trop aimer, peur de ne pas être vraiment respectées, de se faire mal et de rester folles toute la vie. Tout le monde a déjà entendu ça quelque part. Le désir d'Évelyne se borne donc à ce qu'on lui a dit de faire. Sans quoi, elle restera seule. Délurée, elle n'a pas de mémoire. Ce fond de vingtième siècle rend anémique de toute façon. Les filles comme elle l'ont vite compris.

Par une souffrance extrême, elles se sont retrouvées là, à se déshabiller devant quelqu'un qui ne le mérite pas, à faire des choses torrides, sans même connaître le nom de la rue où elles s'apprêtent à passer la nuit. Toujours les mêmes conneries, avec la même anorexie, pour éblouir les hommes. Pour trouver mieux, voir ailleurs, ces filles se donnent à qui le veut, à quiconque leur accorde le moindre intérêt. Si elles repartent lorsque tout s'achève, dès les heures qui suivent, dans le calme, c'est pour ne pas se faire reconnaître. Elles maintiennent la discrétion. Ce qui, bien entendu, les protège des hommes qui les baisent et qui, un soir modeste, voudraient bien les dévorer. Voilà que trois ou quatre coups de refoulement bien placés font d'elles des objets incassables. Des femmes qui, manifestement, s'en balancent.

*

On baise, on se dit au revoir, vite, parce que le taxi nous attend dans la rue et que le compteur a commencé à tourner. On rentre chez soi prendre une douche. Il est tard. On est seul. Tout alors s'apaise et redevient normal. On a fait l'amour. Le rêve était là. On le raconte, on en rajoute un peu. On dira partout que ce fut une réussite, que notre désir fut comblé, que c'était ça, le même que celui de nos amies, celui que tout le monde rapporte. Et on n'en parlera plus.

Des femmes qui ne parlent pas, par trop de lassitude. Lasses des hommes, en premier, puis de l'existence en général, de l'éternité, de l'intelligence, des enfants qu'il faudrait faire avant qu'il ne soit trop tard. Des femmes qui ont peur d'avoir trente ans. Peur de se ramasser seules dans le luxe froid qu'elles auront gagné, seules avec un super boulot, un diplôme, la voiture-cellulaire et tout le reste. Seules avec le monde actuel. Seules au milieu d'un texte qui ne se termine pas. Au milieu d'un petit livre de rien intitulé *Risible et noir*. Au centre du cerveau couvert de lésions d'un petit taré de vingt-quatre ans.

La bohémienne polonaise presto

Charlemagne Prosper a eu une vie terrible.

Ce n'est pas qu'il ait connu les camps de concentration, la maladie qui se propage partout dans l'organisme ni tous ces trucs inventés pour appesantir l'existence des gens qui manquent d'imagination, mais il a tout vécu. En un seul homme sont entassées des centaines et des centaines de vies. Il les a vécues follement. Les unes à la suite des autres, des vies à la chevauchée, qui s'entre-choquaient, qui se sont empilées dans sa mémoire. Il a tout vécu. Et a très bien su tenir le coup.

Il n'a pas nécessairement eu une enfance malheureuse, avec un père qui le battait et une mère dépressive qui n'osait pas se suicider. Il n'a pas essuyé de nombreux échecs, n'a pas tout perdu aux courses. Non. Prosper n'a fait qu'une chose, celle de tout faire. Et il l'a fait de tout son être, de toute sa vérité. Sa vérité de type perdu.

Jeune, il a connu des femmes parfaites. Il a fait l'amour à des copines de la même façon qu'il l'a fait à des hystériques endiablées. Il aurait vendu son âme à quiconque aurait bien voulu lui donner un peu d'argent.

Il a travaillé fort, afin de rattraper le temps perdu. Il s'est levé vraiment très tard, durant un an ou deux, puis s'est réveillé à 5 h 30 tous les matins pour faire le contraire d'avant, pour lire le journal, pour s'informer de la tournure des événements. Mais ça n'a pas duré. Alors il a bu. De plus en plus, avec conviction. Il est parti, équipé d'une tente, fêter le Jour de l'an et l'explosion de la nouvelle année qui alors approchait sur une plage d'Old Orchard. À cette époque de sa vie, s'arracher de sa condition était ce sur quoi il devait se concentrer le plus. Old Orchard représentait l'Eldorado, un commencement qui n'en finirait pas. Charlemagne est vite rentré.

Tout de suite après sa démission, il a choisi de vivre seul, loin des foules, dans un petit appartement en banlieue de Toronto. Il a dépensé le reste de ses économies de même que la prime d'encouragement de la compagnie. Après avoir été gentil avec tout le monde, il est devenu aussi grincheux qu'un vieux général despote de soixante-dix ans. Graduellement, à cause de la température, des rhumatismes que lui avait légués son père et qui commençaient à se manifester ; à cause des trucs qu'il devait vendre, des souvenirs dont il lui fallait se départir pour payer le loyer. Son caractère, à ce moment-là, était insupportable. Tout le monde s'accordait là-dessus.

Charlemagne s'est enfermé durant presque deux ans. Il a fait débrancher la ligne téléphonique et mis son chat à la porte. La concierge a pensé qu'il traversait une mauvaise période. Elle a gentiment hébergé Mistigri le temps que ça dure.

Il a changé. Ses habitudes ont changé, ses goûts, ses secrets, même les femmes auxquelles il rêvait ont changé d'apparence. Sur tous les points, son optique a changé. Un jour, il a décidé de lire des livres, beaucoup de livres, pour combler le vide qui paraissait s'agrandir au creux de son ventre. Puis, comme attiré par l'inéluctable, il a bu. De la chartreuse, exclusivement. Et le creux s'est agrandi. Après, il a aimé boire du scotch. Il les a tous essayés. Il pouvait en parler durant des heures à n'importe quel barman ; les scotches, et quelques whiskies aussi, n'avaient plus aucun secret pour lui. Prosper était le spécialiste incontesté en ce domaine.

Peu de temps après, il est tombé sur une fille plus jeune que lui. Une autre qui a eu peur de quitter son confort pour partir avec Charlemagne. Même s'il était devenu fou d'elle. Il s'est alors senti condamné à errer jusque très tard, tous les soirs de sa vie qui refusait obstinément de s'arrêter. Il n'a plus su où se mettre pour que le temps se calme. Il a pensé à la mort. Il a entendu une voix lui dicter que la seule vraie réussite dans la vie était de mourir. Il a vu la mort, irrémédiable. Il s'est dit que rien d'autre ne valait vraiment la peine. Il a pensé à tout cela, souvent, des nuits entières ; à des cordes raides, à des pistolets à huit cents dollars, sans permis de port d'armes, à des chutes du haut d'un pont, dans l'eau glacée, sur le béton d'un boulevard. Il a pensé aussi à ce qu'il pourrait bien faire pour s'en sortir, comme la vaisselle, comme aller faire l'épicerie pour la première fois depuis trois mois, comme faire sa lessive, comme ramasser la poussière et toutes les choses qui traînent dans la cuisine. Il a pensé à des projets, mais il n'en a pas trouvé un seul auquel il aurait pu suffisamment croire pour s'attaquer enfin à la montagne de vaisselle sale.

Il a voulu être un autre. Il l'a fait. Tout le temps, il revenait comme un étranger vers ses anciens amis qui, eux, ne changeaient guère. Il a eu des couilles. Il les a perdues. Il a vieilli, a rajeuni. Il a aimé des choses pour ensuite les détester. Il a par exemple aimé l'été, les grandes bordées de neige, le calme, le bruit, les gens et la solitude. Il a préféré le froid au chaud, les hommes aux femmes. Il s'est plaint de tous ces détails du quotidien, comme savent si bien le faire les névrosés. Et il est progressivement devenu silencieux, comme un vieux con qui aurait fait les deux guerres. Il s'est planté devant la télé, sans écouter. Il est devenu chevalier, chasseur de monastère, tueur d'église, en toute tranquillité sur son divan, coincé entre deux énormes coussins. Puis il est allé se coucher, après s'être bien brossé les dents, de haut en bas, de bas en haut.

À l'heure qu'il est, il a des sentiments pour la bohémienne polonaise presto, celle qui fait les gâteaux au Café Mont-Royal. On la surnomme comme ça parce que son calme, ses gestes lents, le sourire qu'elle a toujours dans les yeux semblent cacher une lourdeur qui menace à tout coup de sauter au visage de ceux qui l'entourent. La première fois qu'il l'a vue, l'automne dernier, en train de laver les grandes vitres du comptoir à pâtisserie, Prosper a tout de suite compris de quoi il s'agissait. Il s'est assis, a commandé un double cappuccino avec beaucoup de mousse, puis l'a regardée mettre une dernière touche aux gâteaux frais.

Même s'il a vieilli, le concept d'expérience dont peuvent se vanter les gens ordinaires n'a jamais su coller à Prosper Prostate. Aujourd'hui, il sent que rien n'est fait pour lui. Les bars ne sont pas faits pour lui, ni les restaurants, ni les jours de congé que l'on accumule pour plus tard, ni les valeurs humaines, ni rien. C'est pour cette raison, en partie, qu'il ne sait pas quoi faire pour aimer la bohémienne polonaise presto. Il n'a rien de très reluisant à lui raconter. Pour lui, la vie a trop souvent changé. Autour, tout est resté pareil. Les objets sont restés stables, abominablement stables. Les humains ont les mêmes idées qu'il y a vingt ans, aspirent aux mêmes choses banales, espèrent une meilleure retraite, des petits enfants sages et sans symptômes, une vie rectiligne, la même qu'autrefois, la même que celle de leurs parents et de leurs grands-parents. Prosper est différent.

Il voudrait bien la voir exploser, la petite bohémienne au foulard noué sur la tête. Il voudrait être auprès d'elle pour que sa colère vienne tout détruire dans sa vie de vieux minable qui n'a gardé de sa jeunesse qu'un pitoyable reste d'amour. Un reste d'amour qu'il lui consacre maintenant, en dernier recours, sans le dire. Pour la voir se fâcher contre lui. Parce que s'il est certain d'une chose, Charlemagne Prosper, après tout ce qu'il est en mesure de savoir, c'est qu'il n'y a rien de plus vrai qu'une femme qui se fâche. Rien de plus beau qu'une fille vivante, rien de plus amoureux.

LA PUTE ET L'AUTOBUS

Il y a des histoires qui ne s'inventent pas. Des histoires que l'on ne peut imaginer ; l'esprit humain ne pouvant aller aussi loin. Celle-ci commence dans l'autobus 125, un soir de fin novembre, au cœur d'une splendide tempête de neige. Nous étions une trentaine de passagers environ, exaspérés, trempés jusqu'aux muscles, à nous rendre vers l'ouest, quelque part sur la rue Ontario. L'autobus retenait toute son humidité à l'intérieur de ses vitres étanches et embuées. Sa chaleur lourde amortissait. Tandis que les cols bleus poursuivaient leur inlassable grève, la neige tombait abondamment, paralysant maintenant tous les mouvements du centre-ville. Y compris les miens. J'étais sorti quelques secondes en retard et avais dû courir, avec mon cartable rempli de gros livres, dans les bancs de neige et la gadoue des intersections. Après avoir difficilement escaladé les trois marches couvertes de neige sale de l'autobus, j'étais tout de suite allé m'asseoir derrière le chauffeur, le souffle perdu, le visage et les cheveux trempés.

Les lunettes givrées, replaçant ma carte mensuelle

dans la poche arrière de mon jeans, je l'ai vue, assise en face de moi. Elle avait l'air perturbé ; pire, angoissé. Elle rongeait ses ongles, regardait partout, se relevait un peu pour voir la route, revenait se blottir dans le coin de son siège, inquiète. Son maquillage coulait, un rouge à lèvres presque grotesque enflait sa bouche. Je n'aimais ni ses bottes à la mode ni son manteau court et vulgaire qui montrait beaucoup trop tôt de grands bas collants noirs, de grandes jambes excessivement maigres. Mais je ne pouvais me retenir de la regarder, fixé par sa beauté déconstruite, son allure de femme folle et battue, ses yeux nerveux. J'ai compris qu'elle respirait mal, que quelque chose ne cessait de la démanger. J'ai compris qu'elle était seule, qu'elle était très pressée de se rendre quelque part, très effrayée à l'idée de ne pouvoir y arriver avant la fin de l'heure. J'ai compris qu'elle n'avait pas d'amoureux. J'ai compris qu'elle était en manque. Comme jamais.

Pour de l'héroïne dont elle raffolait, son cœur, à ce moment-là, battait le fer à grands coups de pied. Mon regard fractionna le sien. Et j'ai vu, tout au creux de ses yeux exempts de toute charge qu'il s'agissait d'une putain. Elle était en manque. Son corps ferme de fille précaire, son âme de vingt ans, son être tout entier chutait vers le vide, devant moi, à 100 kilomètres à l'heure. Il se tortillait, se dissipait lentement entre les choses de la mort et l'argent qu'il fallait trouver, à n'importe quelle condition. Elle m'a vu, donc, de son regard frigide. Elle a détourné les yeux un instant, puis m'a regardé de nouveau, un peu plus longtemps. Entre-temps, j'avais repris mon souffle et mes esprits. J'ai essuyé l'eau sur mes lunettes, renvoyé mes cheveux vers l'arrière. Je reboutonnais le bas de mon manteau de laine quand je l'ai sentie se lever et venir vers moi. Avec épouvante, comme affligée, elle s'est penchée pour me dire d'une voix quasiment disparue : « C'est vingt piastres pour une pipe. »

J'ai avalé ma salive, desserré mon foulard, laissé partir un soupir de patron que l'on congédie. Elle m'a aussitôt fait un sourire, raté. Son travail commençait dès à présent. Elle allait oublier l'héroïne durant les quinze prochaines minutes. Quinze courtes minutes à ne pas y penser, à ne pas sentir ce manque dans son sang.

Je la trouvais tout à coup encore plus belle, plus vraie dans sa condition de femme écrasée par le siècle. J'ai pensé une seconde à l'argent que j'allais lui donner, au fait que c'était la première fois que j'allais payer pour recevoir l'amour d'une putain, de cet amour-là qui m'avait fait, un soir de mars, détester les femmes du monde entier.

La neige tombait encore, mais le froid persistait. Elle m'a pris par la main, m'a dit de ne pas m'énerver. Nous sommes allés chercher la ruelle en question, entre la boutique de tatouage Iris et l'ancien Rossy. J'ai vu un gros conteneur à déchets, un escalier de secours suspendu près d'un mur, une clôture. La pute, que j'avais oubliée un court instant, me poussa le dos contre la brique, me retira mon sac d'école des mains, puis se pencha, s'agenouilla, sans désespoir apparent, belle comme une fille que j'aurais aimée, plus que tout, d'un amour exclusif. J'ai revu dans un éclair la drogue qu'elle allait peut-être s'injecter grâce à moi, la chanceuse, son état de fille perdue, et je me suis revu, moi, profitant de ça, comme d'autres profitent des femmes mariées, quand le mari ne rentre pas.

J'aurais pu dire non, mais j'ai dit oui. Rapidement, la fellation s'est présentée. En plein hiver, dans l'ombre d'une ruelle, tout habillé. La bouche d'une putain concentrée entre mes jambes ; tout aussi confortable que la bouche de quelqu'un d'autre. Même s'il s'agissait de la première fois pour moi, je savais que c'était comme ça que faisaient toutes les putes, avec peut-être, parfois, une petite touche personnelle, pour vingt dollars ou moins, sans bruit. Il n'y a guère plus femme qu'une pute. Il n'y a pas plus homme qu'un homme qui se paye une pute. C'est du moins ce que je me suis dit à ce moment-là, avant de ne plus penser à rien.

Je ne sais pas de quelle façon j'aurais pu lui venir en aide ou si seulement je me suis soucié de cela. J'ignore si aller se faire faire une pipe, avec un condom, sans les mains, par une fille comme elle, c'est encourager le marché noir, l'illégalité, la bassesse, l'exploitation des gens perdus, etc. J'ai quand même joui. Fort. Comme on jouit quand on n'a pas eu besoin de dire « je t'aime » pendant des heures. En échange d'une dose, de quelque chose qui, en retour, allait lui faire du bien, à elle, la pute dont le bout des lèvres savait quoi faire pour remédier à mon irrémédiable ennui. Une aiguille : la vraie vie. Un cauchemar, une visite chez les choses de la mort. Aucun souvenir. La mort, la rue, Montréal.

J'aurais voulu en savoir plus. Connaître sa vie. La revoir. Pour qu'elle me parle de son avenir, de ses projets, des hommes de sa vie, de l'amour, de son âge, de sa peur de vieillir, des enfants qu'elle voudrait bien avoir, un jour. Parce que ça m'aurait fait rêver. Pour qu'elle me dise combien ça coûterait si je voulais l'inviter à boire un gros café chaud, avec un croissant, chez Dunkin' Donuts un soir cette semaine, quand il ferait vraiment très froid. J'aurais voulu savoir où elle habitait, juste pour aller la voir rentrer au petit matin, bien caché derrière les voitures. Savoir enfin le nom de son *pimp*, pour aller lui casser la gueule au bar où il se tient, devant tous ses amis. Savoir aussi où téléphoner si je me mettais à repenser à elle ; en cas d'urgence. Et lui demander de se sauver avec moi. Lui demander de conserver son air dépeigné, son visage de cadavre. Et de se sauver avec moi. Pour qu'on se déplace en train, à toute vitesse, avec des sacs à dos. Pour faire du stop sur les grandes routes du Canada, et dormir dans le même sac de couchage.

Mais non. Elle est repartie prendre l'autobus, me laissant dans le banc de neige. Depuis, je ne cesse de la chercher rue Ontario. Je refais le circuit du 125, trois fois par jour. Je pense aux autres hommes qu'elle est peut-être en train de baiser, au plaisir qu'elle simule, à ses sourires gâchés. Je me demande si elle va chez le dentiste, comme moi, si elle a des chats, si elle aime Brassens, la pluie et la soupe aux légumes. Je pense à vivre avec elle, pour qu'elle soit dans ma vie, tout le temps, et lui faire l'amour comme jamais. Je m'inquiète pour son moral, les soirs où elle n'a pas envie d'aller travailler. Je cherche à savoir pourquoi, ce qui a bien pu se passer, à un moment donné, pour qu'elle devienne aussi belle, déguisée en putain de vingt et un ans. Une putain qui fait les premiers pas. Savoir si c'est à cause d'un homme qu'elle a perdu autrefois, à cause de la drogue — même si ce n'est jamais pour de la drogue qu'on devient pute — ou à cause du sentiment noble de ne pas être capable de faire autre chose.

Je l'ai revue, une fois, courir derrière une voiture. Je l'ai tout de suite reconnue. Ses jambes maigres gambadaient dans la neige, d'un coin à l'autre de la rue. J'attendais l'autobus, comme toujours. Il faisait -16 °C. Elle ne m'a même pas vu. Elle est montée dans une auto bleue, comme pour se foutre de moi et de tous les hommes de la planète Terre. Et c'est tout.

Deux mois plus tard, elle disparaissait complètement du secteur. Elle est peut-être partie vivre à Toronto, à Vancouver ou encore en Floride. Peut-être qu'elle a pris sa retraite, que ses rentes lui permettent à présent de vivre aisément. Peut-être, aussi, qu'elle s'est fait tuer, en bonne et due forme, comme les putes, parfois, savent se faire buter. En tout cas, moi, je ne sais rien. Je ne l'ai pas enterrée dans la cour, derrière la niche du chien, après l'avoir assommée d'un grand coup de pelle. Moi, je n'ai rien fait de tout ça.

LA NUIT

C'est la nuit noire. Une nuit de ruelles mouillées et de chats de gouttière. Des chats bleus. La nuit comme quand les jeunes se suicident à cause de la musique qu'ils écoutent. La nuit des voisins arrivés trop tard sur les lieux du drame. La nuit.

La nuit où l'on invite une amie à venir nous embrasser dans le petit salon du sous-sol des parents. La nuit comme ce qu'on fait sur le tapis orange du sous-sol, cette fois-là. La nuit de la petite copine qui repart chez elle en pleurant. En courant comme une effrénée. La nuit à onze heures le soir. Cette petite copine pleine de larmes qui repart dans la rue, sous la pluie. La pluie comme quand on s'embrassait en se disant qu'il n'y avait que nous, nous dans cette nuit-là. Et maintenant, cette nuit-là, s'appropriant sans scrupule la place de la nuit d'hier.

La nuit des enfants qui s'aiment. Du petit garçon de huit ans, complètement cancre, qui s'endort, la petite voisine en rêve. Mais aussi bien la nuit du viol des ado lescentes, du meurtre de leur amant. Quand des femmes chancellent, la chemise déchirée, les cheveux pleins de boue et de feuilles mortes. La nuit d'un taxi, avec un Noir au volant qui écoute le baseball à la radio. Une autre nuit qu'il va falloir passer à dormir sur le toit squatté d'un immeuble. Sans couverture.

*

C'est le noir. Le noir presque bleu. Bleu comme les chats. Le noir nu. Le soir d'avant le début de l'univers. Avant le commencement. Avant le premier meurtre. C'est la nuit comme lorsqu'on cherche à expliquer un film d'horreur. La nuit comme quand on trouve une arme dans le tiroir de chevet de son papa. Toute prête. Toute bien chargée. Une balle pour chaque membre de la famille. La famille de ce siècle.

La nuit quotidienne avec les bars et les feux rouges. La nuit pluvieuse, se dégageant du jour comme elle peut le faire, la nuit, la nuit à onze heures. Il y a une nuit noire. Noire comme celle de ce soir, au creux de laquelle tous les gens de la ville iront s'endormir. La ville endormie, souffrante, s'abattant entre les trottoirs. Avec ses marchés noirs, installés dans les tunnels souterrains du métro. Là où l'on va se battre pour défendre l'honneur de notre petite sœur, en compagnie des trois frères. Avec un couteau en main, avec l'intention de s'en servir. La nuit sur des motos, à la recherche du paradis.

La nuit du père qui rentrait saoul. De la mère qui ne disait plus rien au sujet du père. Puis cette nuit où mon frère a fini par faire la même chose. Mon frère avec ce même défaut, le défaut du père, ce défaut des frères aînés. La nuit du tournant sur l'autoroute. Du frère qui s'est planté dans un pilier du pont. La nuit d'une nouvelle pluie. Des ambulances nous criant dessus, dessus tous ces jeunes de dix-sept ans qui ont fait les cons. Comme quand on a dix-sept ans. La nuit de la mère avec les policiers, dans la cuisine, l'été. Avec une espèce de lourdeur, sans un seul brin de vent. Le frère la tête arrachée. La nuit du chien qui s'en doutait. Du chien caché derrière le lit.

*

La nuit des imperméables jaunes et cirés, munis de grands capuchons. La nuit d'une lueur dans un café au loin. La nuit des souliers trempés, des flaques d'eau et des réverbères. La nuit de ce café où se trouvait la femme qui fumait des cigarettes. La chaleur de l'endroit. L'odeur du vertige, d'un immense bol de chocolat chaud. La nuit des chaises de résine rentrées pour l'hiver. La nuit de la fille, dans nos rêves, partout autour de nous.

La nuit de la lettre du huissier, coincée sous un aimant du frigidaire. La nuit sur le dos de laquelle notre fierté d'homme s'en va basculant. La nuit de la prison, peut-être. La nuit du divorce en tout cas, de maman qui fiche le camp avec ses valises. La nuit de nos sept ans et demi. Le soir des spaghettis. La nuit où le père défaille, complètement. Cette nuit de notre enfance. La pire nuit de notre enfance. La nuit du mois d'octobre. De Noël qui, cette année, ne sera pas comme les autres. De la fête de Noël qui ne sera plus jamais la même. La nuit de maman qui part, dans les cris et les pleurs des enfants. Mes pleurs à moi et ceux de mon petit frère. Et le silence du grand frère. Le grand frère qui, sans un mot, continue de manger ses pâtes, comme si de rien n'était. Qui se retient. Le soir du grand frère qui va bientôt se battre avec le père, le père qui le foutra dehors. La mère qui va hurler au téléphone. Le divorce officiel, le procès de papa. Le juge qui était une femme. Le père qui va maintenant devoir payer une pension impossible.

La nuit du piano qu'on déménage. La nuit de la sexualité de la mère, exultant. De la mère avec son nouveau copain. Encore la nuit de mes sept ans et demi. De moi qui ne comprenais rien, qui avais un peu pitié de mon père. Qui n'avais qu'un peu plus de sept ans, et qui avais déjà pitié de mon père. La nuit des femmes qu'on va devoir éviter. Oui, cette nuit-là. La nuit des femmes qui nous terrassent, qui viennent nous faire la guerre dans nos draps froids les fins de semaine. De ces femmes-là. La nuit de ces femmes qu'on a quand même tout le temps dans la tête.

*

La nuit d'une revue porno, que le frère avait volée à la tabagie. La nuit des femmes aux cheveux courts et noirs. Des peaux blanches et des cheveux noirs et fins. La nuit de la piscine publique. La nuit de ton maillot de bain, de ton visage dans la piscine. La nuit de tout l'amour que je te donnais. La nuit de tes lettres folles, de tes lettres aux mille pages. La nuit des interminables coups de téléphone. La nuit de la première fois, de l'amour avant

que tu ne cries. La nuit de la femme. La fois du détache-
ment. La nuit de l'homme que va devenir l'adolescent,
partout dans son corps. La nuit d'une chambre à coucher, quand il fait chaud l'été. Le souffle du ventilateur
vissé au plafond. La nuit de la petite copine que l'on traite avec respect comme s'il n'existait pas d'autres femmes.
De la petite copine qui commence à revendiquer. De sa
peau douce, de son corps froid, mais de son envie,
doucement, qui se déploie. De la première nuit passée
dans les bras l'un de l'autre. De l'été, de l'été où je
vendais des frites pendant que toi tu ne travaillais pas.
Des étés durant lesquels je n'ai fait qu'attendre le soir
pour aller te rejoindre, comme un fou sur mon vélo.
L'été où tu m'attendais, toute belle sur le balcon, avec ta
petite chemise toute bien repassée. L'été où tu voulais
que je t'emmène sur la colline ; assis dans le gazon, on
regardait le ciel. J'avais les mains abîmées par l'eau de
vaisselle. Mais mes rêves, eux, étaient intacts.

*

La nuit enfin des hôpitaux psychiatriques. Le bottin
de téléphone, les policiers, calmes. La nuit de l'hôpital.
Le tournant. L'écroulement. La même nuit que la nuit
d'hier. Une nuit chargée d'humidité. Le mensonge. Le
mensonge de toutes ces nuits. Les mensonges que com-
portent toutes ces nuits. Parce que des nuits sans mensonges, ça n'a jamais existé. Comme des nuits sans
ivrognes. La nuit donc, de ce mensonge qui ne
s'estompe pas. Oui, la nuit. La nuit que tu connais bien.
La nuit du vélo. Du vélo et du train que j'ai attendu. Du

79

chemin de fer entre les arbustes. Si beau, si frais. Le chemin de fer qui s'égare dans la nuit.

*

Oui, la même nuit que celles de cet été. La nuit de la mort de Schubert. Sa bonne qui l'a découvert dans sa chambre. La nuit de cette bonne, Charlotte, qui l'a toujours beaucoup aimé en secret. Elle qui l'aimait comme on aime, la nuit. D'un amour qui ne se dit pas, d'un amour qui se fait. L'amour qui fait tout tressaillir, celui qui écrase. L'amour comme lorsqu'on ne sait plus rien, comme lorsque toute notre vie, tout notre passé avec ses histoires d'expérience, lorsque tout cela ne tient plus. Charlotte qui aimait Schubert de cette façon-là. C'est elle qui l'a achevé d'un coton imbibé d'éther. La bonne qui aimait assez totalement pour faire cela.

La nuit des punks donc, des punks qui essuient les pare-brise. La nuit des portemanteaux. La nuit de la syphilis. La nuit Mylène Farmer. La nuit de la première fellation. Sur le siège avant de la voiture des parents. La nuit de la campagne, du cimetière Côte-des-Neiges, la nuit des phares d'une voiture de flic. La nuit du parc ; la nuit au bord de l'eau. La nuit du cinquième secondaire. Montréal-Nord. La rivière des Prairies. La route 135. Le terrain de golf, planté là en pleine nuit, au milieu de la nuit froide. Tout autour, les grands espaces verts.

La nuit pomme de terre, comme celles cultivées en Roumanie. La nuit des écrivains débiles. La nuit du désert. De la lune beige et du sable mauve. La nuit de la jeep. Jaune comme ton imperméable. L'idée du chagrin qui augmente. Le sentiment de la mélancolie. Le goût de la mort. La mort qui se balade pieds nus.

La nuit de la collaboration avec les Allemands. La nuit des missiles plongeant sur Bagdad. La nuit du soldat, n'importe lequel, mais un soldat qui meurt. La nuit marine. Toutes ces nuits marine. La nuit des joueurs de guitare. La nuit des femmes qui attendent une lettre de leur mari. Du mari déchiqueté au fond d'une tranchée, dans la boue. Et la femme, bien au chaud, qui espère encore une lettre.

C'est la nuit de l'église. L'église barricadée où l'on allait faire l'amour toi et moi, cet été de l'année mil neuf cent quatre-vingt-quinze, quand on se désirait à n'en plus savoir que faire.

Oui, ce soir, c'est la nuit. La nuit pareille à toutes les nuits passées sur cette foutue planète Terre. La nuit chloroforme. La nuit des femmes qui font semblant. Les innombrables nuits, toutes réunies en une seule. La nuit, désormais inquiétante, qui se répète jour après jour. La nuit.

L'HISTOIRE DU SILENCE

Il était, encore une fois, une femme qui vivait toute seule dans une petite maison. On ne sait plus trop depuis combien de temps elle habitait là. On sait seulement que sa maison fut la première à avoir été construite dans la rue Saint-Charles. La première, après l'église de l'avenue de La Fabrique.

En ce temps-là, il n'y avait qu'un immense champ, avec une église, seule, et la maison de la femme, comme une goutte, tombée un peu plus loin.

C'était l'Est de Montréal, avec ses histoires d'eau potable, de foin à couper avant l'hiver, de tracteur et de saisons de labours. C'était l'Est de Montréal, il y a plusieurs années. La femme prenait l'autobus le matin, trois fois par semaine. Elle faisait du ménage chez une famille de Sainte-Geneviève-de-Pierrefonds. Elle vivait de cela. Elle ne faisait rien d'autre. Il y a eu une histoire, une fois, entre elle et le tenancier du magasin général. Certains disaient qu'elle se faisait payer pour coucher avec lui. Son épouse à lui était morte de la tuberculose, deux ans auparavant. Elle avait lourdement souffert, et lui avait trouvé ça très dur. Mais ces racontars n'ont pas duré.

On ne connaissait pas beaucoup cette femme, au village. Le dimanche, toutes les familles passaient devant sa maison, sur le chemin, pour se rendre à l'église. Après la messe, ils repassaient tous, et c'est tout. Le livreur de lait allait porter sa pinte, prenait l'argent qu'elle lui laissait dans la boîte aux lettres, sur le bord du chemin. Il ne la voyait jamais. Mais toujours l'argent était là, avec les bouteilles vides, au soleil, l'été, et plantées dans la neige l'hiver. Si le prix du lait augmentait, la femme le savait, et l'argent en plus était dans la boîte aux lettres. Voilà.

La femme était tellement silencieuse que c'était comme si elle n'existait pas. Le silence comme quand on est petit et qu'on se réveille tout seul dans la nuit profonde. Le silence, comme la maison quand il ne reste que le bruit de l'horloge grand-père dans le salon. Le bruit de l'horloge, c'est aussi le silence. Comme la neige tombant lentement dans la rue Ontario, au centre-ville. Comme ce que sera le parc La Fontaine, la nuit, une fois l'apocalypse terminée, quand il n'y aura plus que ça. Comme le silence d'une fille de dix-sept ans qui fait une pipe à un joueur de football sur le siège arrière d'une voiture, simplement parce qu'elle le trouve beau et qu'elle ne sait rien faire d'autre avec un gars, quand elle le trouve beau. Le silence, comme cette neige, celle de la rue Ontario. Le silence complet, calme, qui rend muet. Cette femme, c'était aussi ce silence. Ce silence qui ne demande rien, qui ne dérange jamais. Cette femme qui aurait pu mourir sans que personne ne s'en rende compte.

Les autres habitants de la paroisse prenaient toutes leurs décisions sans elle. On se mariait, on naissait, on mourait, sans lui demander son avis. C'est sans elle aussi qu'on a décidé de prolonger la route 61, qu'on a remplacé le petit pont couvert par quelque chose de plus solide, quelque chose en béton. Sans elle, on a refait le toit de l'église, on a construit la mairie à la place de la bibliothèque. On a posé des réverbères, refait les garde-fous tout près de la rue en sens unique qui borde le précipice, avant la rivière. La femme, c'était comme si les gens du village l'avaient oubliée.

Pourtant, sa maison était toujours là, avec de la lumière à l'intérieur, jusqu'à neuf heures du soir. Avec du linge sur la corde à linge, des draps, de petites jupes, des nappes et des bas. Mais pas de femme, ou alors une silhouette qui rentrait du bois, qui enlevait la neige, qui replantait les poteaux de clôture que le vieux Claude avait arrachés en passant trop vite avec la grosse pelle à déneiger qu'il installait devant son tracteur après les grandes tempêtes. Qu'une silhouette, une ombre montant dans l'autobus, traversant le champ pour aller chercher du beurre, de la viande, des légumes. On la voyait passer, c'était la femme oubliée. La femme silencieuse, qui n'existe pas. Une maison comme un décor. Une maison retenue à la terre au bout d'un mince fil électrique. Une couronne de sapin accrochée à la porte quand Noël se campe. Une colonne de fumée, le samedi, sortant de la cheminée.

Le temps passait. On n'avait jamais su l'âge de la femme qui vivait en pleine humilité, mais on savait qu'elle devait vieillir, comme toutes les femmes. Toutefois, sa vie ne changeait pas. Au village, on comptait les enfants qui s'étaient finalement mariés, les nouvelles maisons, laides, qui se bâtissaient, les rues qui changeaient de nom, les grands-parents qui étaient enfin morts, les autres que l'on plaçait à l'hospice. Tout changeait, avec le temps, sauf la vie de la femme. Elle continuait de se rendre en autobus dans la famille de Sainte-Geneviève-de-Pierrefonds. Elle continuait de tailler ses buissons, de mettre au chemin ses bouteilles de lait vides, de passer, quelquefois, dans la rue du village. La femme, en dépit de tout, savait quand même poursuivre sa vie, sans avoir jamais fait comme tout le monde.

Un soir, ce fut l'hiver. Le froid intense avait décidé de saboter l'électricité qui court dans les fils, dont celui qui rattachait à la terre la maison de la femme oubliée. Il y a eu un court-circuit, a-t-on plus tard rapporté. Et une panne a suivi dans tout le quartier est du village. Deux mille cinq cents personnes ont terminé la soirée dans le noir, couchées dans le salon, sur le tapis, près du feu.

Ce fut un soir très froid, en mille neuf cent cinquante-neuf. La maison de la femme seule a été détruite par les flammes. La femme était dedans. Elle a brûlé vive. On ne sait pas pourquoi elle n'est pas sortie. On sait qu'elle était là, dans la maison, parce qu'elle ne sort jamais la nuit. Les pompiers volontaires sont arrivés assez tard. Ils ont tout essayé, mais il n'est plus rien resté de la maison. Elle a flambé en un rien de temps. Comme si elle n'était rien. Comme si c'était du vide. On s'est rappelé qu'il y avait une femme habitant cette maison, avec ses deux gros chats bleu marine. On s'est tout à coup souvenu d'elle, une fois qu'elle fut morte, brûlée complètement dans sa maison à la suite d'un court-circuit. On s'est dit : « Il y avait une femme qui vivait là depuis toujours. On ne la connaissait pas beaucoup. On ne sait rien d'elle. » Ensuite, on s'est rappelé l'histoire du livreur de lait, du tenancier du bar. On s'est souvenu de la silhouette, de cette présence que l'on connaissait, depuis notre enfance, mais dont on ne s'était jamais vraiment soucié. Elle n'avait pas de nom, pas de parents, jamais personne auprès d'elle. Pas de voiture, pas de lettres, rien. Jamais rien d'autre que la rumeur sur le tenancier et le trajet du livreur n'avait croisé la vie de la femme. Alors, on l'avait oubliée.

Certains ont dit, en cherchant à se rappeler, qu'elle avait les yeux verts. De grands yeux verts. Avec un peu de crayon noir. D'autres ont juré lui avoir déjà vu les cheveux, de longs cheveux fins. D'autres encore ont raconté l'avoir vue se déshabiller, une fois, près du ruisseau, puis s'y baigner. En fait, personne n'avait vraiment vu ses yeux. Ni ses cheveux, ni sa peau blanche.

Voilà. C'est tout. Ça, c'est l'histoire de la femme seule, d'une vieille maison près de l'église ; la maison que l'on n'a pas reconstruite. C'est l'histoire de cette femme, du silence, de l'oubli des choses. C'est l'histoire des inconnus. L'histoire du fil électrique. Celle de l'hiver, du froid, d'un billet de un dollar laissé dans une boîte aux lettres. Celle encore de la petite rue Saint-Charles. C'est l'histoire de cette femme, endormie dans sa chaude maison, hésitante, au creux de l'hiver.

L'ÉTÉ, SURTOUT

C'était tard dans la journée que tout avait commencé. C'était un moment particulier. Un espace pendant lequel des choses peu communes se partagent. Un moment où, malgré l'heure, le soleil plombait encore très fort.

C'était l'ennui. Une route d'asphalte, de la poussière que le vent soulève un peu. L'ennui des nuits qui vont être chaudes. L'été, surtout, comme jamais.

Pour bien comprendre ce qui va suivre, il faut imaginer la chaleur. L'imaginer jusqu'à la sentir sur soi, lourde, jusqu'à la comprendre. La chaleur du soir, restée suspendue, remontant maintenant vers le ciel. Un air chargé. Épais. À faire ralentir un radiateur de voiture.

Sur la route, il y avait des enfants. Ils étaient au nombre de six. Des orphelins. Ils marchaient. L'un d'entre eux buvait du whisky. Un autre crachait sur la route. Ils allaient nulle part. Comme les petits Parisiens dans les romans de Victor Hugo. Ils étaient ces enfants qui pillent, causant comme des adultes. Chacun d'eux était armé. Ensemble, ils allaient tuer le shérif de la ville voisine. Ils ne faisaient que ça de leur vie. Ils marchaient à travers le pays, à la recherche d'une journée chaude, d'une nouvelle ville et d'un shérif tout frais à descendre.

Il ne s'est pas passé grand-chose durant ce moment de l'été surtout. Sauf que c'était l'été, qu'il faisait chaud horrible, que six enfants-whisky se traînaient sur la route et que la nuit, pour tous, serait insoutenable.

ANDRÉA ZIEGLER

Tu t'appelleras Ziegler. Andréa Ziegler. Tu seras d'origine juive et tu viendras me revoir, le 22 avril, après le dîner. Dans la maison de pierre que j'aurai quand même achetée, sans toi. Tu reviendras me raconter ta vie, les années que tu auras subies avec lui, ton mari.

Tu reviendras chez moi. Dans cette maison blafarde.

Tu auras toujours ton nez, le visage des femmes de ta famille, comme un mouchoir. Entre la table et la grande armoire, tu t'assoiras, ce soir du mois d'avril. Je pourrai crier victoire, mais je ne le ferai pas, parce que moi, j'aurai vécu tout ce temps sans toi et que j'en serai brisé. Près de la table, sur une chaise de bois, tu me regarderas, un peu amère de voir tout ce chantier. Un peu avec le sentiment d'être responsable.

Tu auras eu deux garçons, qui n'auront pas ton visage. Seulement tes sourcils noirs, seulement tes épaules efflanquées, étroites, creusées par l'histoire de ton peuple. Ils auront la sale tête de leur père. Mais ta maigreur. Mais ta longueur. Celle dont tes jambes se coloraient, et toute ta forme, irrésolue, incessante, ta forme intercalée, toujours. Ta forme avançant vers moi. Cette danse.

Ils n'auront pas ton visage, tes garçons. Ils n'auront surtout rien de moi.

On mangera du cantaloup, trempé dans du vin rouge. Il y aura aussi des quartiers de pommes vertes et des petits cubes de fromage doux. Tu me parleras de ton passé, des interminables moments soumis à mon absence. Depuis mon absence. Tu me diras cela. Et je t'en voudrai, assez pour te tuer, assez aussi pour te faire l'amour, là, tout de suite, une première fois, dans la cuisine, sur la chaise ou par terre. Ton corps comme une pâtisserie que j'écraserai, que je planterai contre le mur.

Je t'aurai vue apparaître dans la porte. Moi qui n'aurai parlé que de toi, qui n'aurai fait que ça pendant quinze ans. Tu seras devant moi, et je ne saurai pas quoi faire. On sera l'un devant l'autre. Et on ne s'en fichera pas. On sera en vie. Dans cette maison solide. Toi juste sur le bord de la porte, avec ton petit pantalon droit, encore sur le balcon, à attendre que je sois le premier à dire les mots.

Sur la grille, dans la cour, j'aurai fait pousser des fleurs grimpantes.

J'aurai eu bien des maîtresses, mais aucune photo sur le miroir. Tu le remarqueras, tu verras qu'il n'y a pas de photos de femmes. Et tu seras contente, quand même, un peu. Il restera malgré tout des choses que tu ignoreras, des choses qui ne seront pas telles que tu le croiras. Tu m'écouteras donc avec plus d'attention. Tu me regarderas, pour avancer sans perdre ton honneur. Mais silencieusement, en secret, tu voudras que je te berce. Tu n'avoueras rien de tout cela. Il te faudra plutôt tenter de reprendre le dessus, parce que tu seras surtout venue ici pour me demander quelque chose d'important.

Je me souviendrai de la façon que tu avais de tenir ton verre. Cette façon de faire que tu auras conservée. Je retrouverai tout cela, quinze ans plus tard, et ça me vaincra. Tu bougeras comme avant. La nuit tombera tout doucement. Et tout sera comme avant. L'ombre, le ventilateur au plafond, tes poignets murmurant tes gestes – tes gestes murmurés. Un émoi, un saisissement. Une violence presque.

Tu glisseras sur d'autres sujets, pour esquiver la vraie raison de ton retour. Ton regard triste, avec ta bouche qui se repose. L'envie de te livrer.

Tu reprendras ton souffle enfin. Et tu me supplieras, en une seule phrase, de te prendre avec moi. Ici, dans ma maison. Tu parleras de tout recommencer. De vivre avec moi, de m'aimer plus que jamais, d'être femme, voilà, ma femme. Et je pleurerai. Je te demanderai pardon, sans trop savoir pourquoi. Et je pleurerai.

Pendant près de quinze ans, tout aura eu le même goût. Comme quand on a la grippe. On rajeunira alors. Toi dans mes bras. Moi dans tes bras, on pleurera. On aura cinq ans, deux petits tricycles rouges, une salopette trop grande et une petite robe de coton.

Résignés, on descendra ensuite à la cave. Par le petit escalier de bois, on allumera l'ampoule. Tu me demanderas d'attacher des cordes aux solives. Tu nous les passeras autour du cou. Et, à la lumière de l'ampoule, près des caisses poussiéreuses, campés dans l'humidité, on se pendra. Nos corps faisant contrepoids. Nos visages gris, pâles, en paix.

Oui, un jour, Ziegler. Tu verras. Un jour, tu viendras mourir chez moi.

Lorsque c'est toi

Ça ne me dérange pas de rentrer chez moi et de découvrir que des voleurs sont venus tout chambarder. Ça m'importe peu, aussi, d'entendre parler de tous ces enfants qui meurent au soleil, avec des mouches autour des yeux sans avoir jamais eu la chance d'aller à l'université ou de contracter le sida. Je me fiche des pertes d'emplois, des alcooliques avertis et des femmes battues sur le palier des escaliers. Je me fous de l'heure qu'il est, de l'accablement d'un papa noir qui n'a pas de travail et qui vole des boîtes de conserve au supermarché, des hommes qui se suicident et des femmes qui pleurent à leur place.

Je me moque bien que le patron me demande tous les matins de laver les cabinets. Et je reste fier devant les cons qui se payent ma tête quand je m'habille en femme pour sortir le vendredi soir. Ça ne me pose jamais d'ennui d'avoir à quitter une fille qui m'aime. Et je ne me sens pas du tout malhonnête quand s'impose le moment de simuler du chagrin.

La guerre civile guettant le Québec et les vieillards qui ne se lavent plus, je m'en fous. Le remède contre la fibrose kystique me laisse tout aussi indifférent que le secret de la Caramilk. L'immigration, la langue française, le journalisme et les mères écartelées d'une larme à l'autre me fatiguent. Entre me faire répondre en anglais chez Hong Kong Bill Buffet Chinois Licence Complète et être syndiqué jusqu'aux oreilles par la CSN, je me repais d'indifférence. Point.

Mais lorsque c'est toi qui me dis des mensonges, alors là j'ai peur, là je fléchis et là je me livre aux bêtes. Quand tu me mens, verrouillée dans ton insolence, c'est mon enfance qui revient à la campagne, un film ouvert sur notre adolescence. C'est le souvenir de ces quatorze ans de rage qui juraient déjà de ne plus jamais mordre dans le panneau, comme une gangrène jamais résiliée. Ce sont des colères jamais dissoutes, des coups de téléphone jamais retournés.

Ce sont mes quinze ans, enfin, qui ne m'ont pas laissé la moindre chance. C'est toi qui te trahis comme si de rien n'était. Moi qui te coule vivante dans un mur de la cave. Avec mille mots plus graves de fois en fois, c'est moi qui pense à te tuer. Pour ficeler ma carcasse jusqu'au pilori quand il y a foule et pour te traîner sur la craie.

Parce que j'ai besoin que la vie se poursuive. Et le courage de bouger d'ici ne vient pas. Et le mensonge, toujours, qui revient. Pareil à un métro. Et qui revient. Et qui revient. Et qui jamais ne se met en grève.

LA VIE KRAFT DINNER

Un jour, j'écrirai quelque chose sur mon père. Ce sera un très gros projet dans lequel je chercherai à tout rétablir sur les vérités de mon enfance. L'écriture y sera gigantesque, avec des détails à n'en plus finir. Je décrirai mon père en y ajoutant un peu de ma mère, parce que mon père ne peut exister individuellement, tel qu'il est, sans ces quinze années de mariage. Il y aura mon père, ma mère, et ce pays, la France, où ils sont nés. L'Alsace et la Normandie, toujours présentes autour de nous.

Les mots diront que c'était mon enfance, mes sept ans que je me rappelle parfaitement. Sept années vécues en un flash. Le seul véritable instant à m'être parfaitement resté en mémoire. Un instant qui dura plusieurs années.

Dans ce livre, je raconterai ce que fut la vie après le départ de ma mère. Mon père qui a aussitôt dû se mettre à la cuisine ainsi qu'au potager pour économiser sur les légumes et les épices. Mon père qui ne s'est jamais payé de voiture neuve afin de toujours avoir son litre de vin rouge sur la table. Sa seule sécurité. Ce qui le tenait au chaud les soirs d'hiver, devant la cheminée débordante de feu.

Il a très vite appris à se débrouiller avec les casseroles et la litière de Paillasson. Même qu'on avait souvent des fleurs bien arrangées pour le repas du dimanche. On peut très bien vivre seul avec son père quand on est encore tout petit. Je l'ai fait. Si les femmes nous ont manqué, je ne l'ai jamais su. Personne ne m'a jamais mis au courant.

Du café noir, comme les grands. Les matins, quand je buvais du café noir, mon père était là. C'est lui qui me sortait du lit. Lui aussi qui repassait ses chemises de coton. Il n'avait pas de patron. Il était artiste peintre. C'était au temps où les gens décoraient leur chez-soi avec des toiles artistiques ; avant la triste venue des affiches laminées de cinéma. Au-dessus du garage, l'atelier tout en désordre de mon père. Mon père au beau milieu, toujours les mains tachées de peinture, toujours cette odeur de térébenthine sur ses vêtements.

Je parlerai de la petite école primaire. De l'heure du dîner pendant laquelle je rentrais manger à la maison. J'avais un père qui m'attendait. Qui me regardait partir le matin, jusqu'à ce que j'aie tourné le coin de la rue. Moi, j'avais un père.

Il faut que je dise ces choses-là. Le Kraft Dinner au beurre qui revenait régulièrement au menu, avec parfois trop de fromage en poudre dedans. Le Kraft Dinner, beaucoup trop salé, dont je me régalais parce qu'il était celui de mon père et que si je n'avais pas été là, il serait resté tout sec dans son armoire. Question de me venger du départ de ma mère, je me régalais comme un petit fou de ce macaroni. Parce qu'il était fait par mon père, et que ça nous rendait autonomes, lui et moi.

Mon père résolument inquiet de ma santé déjà fragile. Une mère n'aurait jamais fait mieux. Une mère-micro-ondes comme celles d'aujourd'hui m'aurait achevé. Mon père, lui, restait modéré. Tous les jours, il montait sur son vélo pour aller chercher de la laitue fraîche au Métro du quartier parce qu'il avait entendu dire à *Téléservice* que le corps d'un être humain avait besoin de verdure pour grandir. C'est pour ça aussi que les desserts de mon enfance se résumaient à une éternelle pomme de l'Ontario. Du Kraft Dinner au poisson pané, du steak haché avec riz blanc au *grilled-cheese*, puis des saucisses frites aux résolues nouilles beurrées, nos dîners étaient ce qui me ramenait à mon enfance. Je mangeais, sans rechigner. Parce que je n'étais pas gâté. Parce que je n'avais pas de surprise après avoir été chez le dentiste ou quand je ramenais un beau bulletin scolaire. Non, rien de tout cela. Mais du Kraft Dinner, qui faisait de moi un être important.

Un jour, j'écrirai tout. Mon enfance heureuse, je la dirai. Parce que les nouilles trop cuites de mon père étaient merveilleuses. Aussi merveilleuses que lorsque le jour de vos vingt ans, les soldats canadiens arrivent à Saint-Aubin pour vous libérer de l'occupation allemande. Les Canadiens apportant du chewing-gum, des cigarettes et du chocolat. Le plus beau jour de votre vie. Avoir vingt ans, une tablette de chocolat, et la promesse de ne plus jamais avoir peur que l'on exécute vos parents. J'écrirai tout cela, pour dire que, même après avoir inventé les Corvette, le caviar rouge et les belles femmes, il n'y a rien comme un père qui ne sait pas faire cuire le Kraft Dinner.

JULIE

Dans un chic quartier de Montréal vit Julie, la petite
schizophrène. Elle n'a que seize ans. Elle est devenue
psychotique très tôt, après que la cocaïne l'eut violée.
Aujourd'hui, avenue du Mont-Royal, elle vend le journal
L'itinéraire. Étant schizophrène, la pensée de Julie est
mobilisée par les histoires macabres qu'elle a l'habitude
de se raconter dans sa tête. Ça veut aussi dire qu'elle ne
veut pas travailler sérieusement, qu'elle ne pourra pas
retourner à l'école avant longtemps et que son sommeil
sera, jusqu'à la fin de ses jours, embarrassé par les histoires. C'est très fâcheux.

Elle n'est pas folle, elle est juste en constante régres-
sion narcissique. Elle trouve refuge dans la solitude, les
attitudes rituelles et le conflit avec le monde extérieur.
C'est ce qu'on a déjà dit des femmes comme elle,
quelque part, dans les pages du *Diagnostical and
Statistical Manual of Mental Disorders*, dictionnaire au
demeurant très savant.

Elle n'a plus de petit ami depuis qu'elle est rentrée
à l'hôpital l'an dernier. Ce n'est pas grave. Maintenant,
Julie travaille. Elle passe toutes ses journées à faire la

portière du guichet automatique de la Banque de Montréal. Non pas parce qu'il fait trop froid dehors, puisqu'elle fait cela aussi l'été. Non, c'est pour une autre raison. Elle se place là et elle ouvre la porte aux clients qui n'ont pas envie de sortir leur carte pour déclencher le loquet électronique. Le gérant de la succursale ne dit rien. Donc, Julie ouvre la porte aux clients. Mais elle ne fait pas que cela. Elle leur tend également *L'itinéraire*, le journal des cinglés comme elle, des robineux et des itinérants cultivés. Il coûte un dollar, mais on peut donner plus si on en a envie.

Julie est celle qui vend le plus d'exemplaires. Elle peut parfois revenir avec trois cents dollars par jour au local du journal. La fin de semaine, ça peut aller jusqu'à trois cent quatre-vingts. Comme les vendeurs reçoivent la moitié du montant du prix, Julie est devenue la schizophrène de seize ans la plus riche de toute l'île de Montréal. À la fin de l'été dernier, elle s'est ouvert un compte en Suisse pour y déposer trois cent mille dollars, soigneusement roulés dans du papier brun.

Elle est un peu débile, Julie. C'est ce que tout le monde se dit, depuis qu'on a parlé d'elle au journal télévisé. Oui, on la trouve même un peu conne. Sauf que Julie vient tout juste de s'acheter un troisième condo à Fort Lauderdale. Elle est complètement riche, avec des centaines de pièces de un dollar dans les poches. Bien sûr, tout a débuté avec l'achat du local du journal. Ensuite, les deux dépanneurs de la rue Plessis et enfin la succursale de la Banque de Montréal en question. La porte du guichet automatique continuant de lui rapporter gros, elle a fait encore plus d'argent. Toujours, dans sa petite tête de boîte à gants, la disparition de la fonction du réel avec le caractère onirique de la pensée qui s'égare dans l'irrationnel et le subjectif. Dans sa tête, toujours cette disparition, toujours ce soi-disant délire.

Julie a fait une fortune à la Bourse. Elle a acheté des chevaux de course magnifiques. Elle est devenue la propriétaire de l'œuvre des Rolling Stones ainsi que des derniers manuscrits de Michel Tremblay. Oui, elle est un peu conne, Julie. On ne l'aime plus tellement au local. Comme elle a fait breveter l'idée d'aller se pointer derrière la porte des guichets automatiques, personne ne peut l'imiter. Alors, impossible de faire autant d'argent.

Hier, elle a conclu une entente avec des sociétés japonaises qui va lui faire gagner sept cent trente millions de dollars par année. Et Julie continue de vendre son journal. Postée au même guichet de l'avenue du Mont-Royal. Elle ne l'a jamais quitté.

Elle n'a plus d'amis. C'est normal, elle a réussi. De toute façon, on ne peut pas faire des affaires intéressantes avec les amis. Surtout quand ils ne sont rien que des ivrognes et des toxicomanes. Tout le monde sait que les promesses d'ivrognes, il n'y a rien de tel pour ruiner une multinationale. De toute façon, elle est un peu trop arriérée pour les autres. Un peu trop folle ; folle à écrire des poèmes la nuit. Elle a décompensé, l'autre jour, confrontée à une situation affectivement difficile à laquelle elle n'a pu faire place sur le plan émotionnel. Il a vite fallu l'envoyer à l'hôpital. C'est le stress.

C'est aussi parce que c'est la saison de l'automne et que ça lui rappelle les matins où elle allait faire les courses avec sa mère. Quand elle était petite, sa mère l'emmenait au marché Jean-Talon prendre un poisson et rapporter des légumes et du pain croûté. Elles achetaient presque toujours la même chose, étant donné que papa ne rentrait plus à la maison depuis des années. Alors quand l'automne revient, Julie se sent un peu plus malheureuse que le reste du temps, car elle repense à sa maman qui l'a abandonnée.

En sortant d'Albert-Prévost, elle a repris ses fonctions de Julie. Elle se rend maintenant au travail en limousine parce que le psychiatre lui a recommandé de se reposer un peu. Elle va bientôt fêter ses dix-huit ans. Elle est vraiment heureuse. Aussi heureuse qu'elle est schizo. Mais ça ne l'a jamais empêchée de faire ce qu'elle aimait. Surtout depuis ses nouveaux neuroleptiques : les bleus servent d'antihistaminiques, tandis que les autres, elle ne sait pas. Elle les prend quand même, pour faire plaisir au docteur. Julie est très heureuse. Elle pense bientôt acheter IBM. Elle a fait une offre, mais la compétition entre elle et les autres firmes françaises, il faut le dire, est très féroce.

Elle ne manque pas d'idées en tout cas. Son projet le plus cher reste celui de trouver l'amour de sa vie. Son rêve, plus précisément, serait de rencontrer un alcoolique avec lequel elle pourrait vivre en appartement. Un ivrogne qui saurait s'occuper d'elle un peu, et lui faire cuire des poulets pour le souper. Comme il boirait tout le temps, Julie aurait la chance de s'inquiéter. Elle passerait des nuits agitées à l'attendre et, quand il rentrerait, elle ne pourrait pas dormir, car l'alcool le rendrait très agité et très volubile. Il aurait envie de parler et comme Julie l'aimerait beaucoup, elle serait obligée de l'écouter jusqu'aux petites lueurs du matin. Elle s'en plaindrait beaucoup, évidemment, mais tout de même, elle espérerait qu'il rentre assez tôt le samedi soir, pour regarder *La soirée du hockey* en sa compagnie, comme le font les amoureux.

L'IMPASSE

Le 22 juin 2025. Rien n'a vraiment changé. Londres est toujours la même. Rien n'a vraiment changé parce que la vie est toujours aussi merdeuse, parce que malgré le fait que K. me suit partout depuis le début du siècle, rien ne change.

Nous avons quitté la chambre d'hôtel ce matin. Un coup de téléphone plutôt douteux m'a décidé à changer encore une fois de quartier. En descendant, j'ai pris soin d'étrangler le type à la réception avant de lui arracher les deux yeux et de lui manger la vésicule biliaire. Mieux vaut éviter de prendre des risques inutiles. On ne sait jamais.

K. n'a rien dit. Rapidement, elle a fait les valises. Pendant ce temps, je me suis occupé d'essayer de réparer, à l'aide d'un bas de nylon, la courroie du vieux Ford 350 resté immobile dans la ruelle voisine depuis plus de vingt ans. Ce camion appartenait autrefois au fils du vieux Jack. Il s'en servait pour charger les cadavres de zombies fraîchement découpés la veille par les miliciens. Ça lui faisait un peu d'argent de poche en plus. Il a fait cela les fins de semaine, jusqu'au jour où un zombie mal découpé l'a assailli alors qu'il conduisait sur le boulevard Édouard-Delamarre-Deboutteville. Le camion a fait une embardée avant de s'arrêter contre un tronc d'arbre. Le môme n'a pas survécu, et on a dû le trancher lui aussi. Ses yeux étaient devenus tout globuleux et le pus de l'infection lui coulait de partout.

Toujours est-il que le camion n'a jamais plus bougé après qu'une dépanneuse l'a déposé dans cette ruelle. Je l'ai tranquillement remis à neuf en prévision de me défiler un jour ou l'autre. Je lui ai donc fixé une courroie, et nous avons filé tout droit en direction de la Cité, jusqu'à l'inévitable panne d'essence. On a fait le reste à pied. Une vingtaine de kilomètres environ.

Les zombies, c'est de la vermine. Ils croquent tout ce qui bouge. Tout le monde va finir par y passer. Ce n'est pourtant pas compliqué, on nous l'a montré je ne sais plus combien de fois à la télévision : un zombie, quelle que soit sa constitution, il n'y a qu'un moyen de l'éliminer pour de bon. Il faut absolument le couper en deux, dans le sens de la longueur. Ainsi, même sa tête sera séparée en deux morceaux bien distincts. De l'entrejambes jusqu'entre les deux yeux. On nous l'a répété je ne sais plus combien de fois. Avec une scie circulaire, c'est plus simple. Mais on peut aussi très bien faire le travail avec une hache ou une faux, sauf que c'est plus long et plus salissant. Eh bien ! même la milice ne le fait pas tout le temps ! Il ne faut pas s'étonner, après, si le petit du vieux Jack y a laissé sa jeunesse.

À la Cité, ce sera la même histoire. Je ne compte pas y rester plus d'un après-midi. D'autant plus que je fais de moins en moins confiance à K. Depuis peu d'ailleurs, je garde un grand couteau de cuisine sous mon imperméable. Stupide comme elle est, il suffit que je la laisse deux minutes toute seule pour qu'elle se fasse sauter dessus par un de ces zombies ninjas. Après, c'est encore moi qui vais devoir traîner son cadavre partout jusqu'à ce que je trouve un moyen de la ressusciter sans trop faire de dégâts. Je vois déjà le topo.

Je vais retrouver un vieil ami contrebandier qui me doit encore quelque cinq mille dollars, je vais larguer K. au fond d'un égout, sans le moindre baiser d'adieu ; depuis le temps qu'elle me fait suer, j'ai perdu tout sentiment romantique à son endroit. C'est souvent ce qui se produit avec l'amour ; quand l'autre reste identique à ce qu'il était trop longtemps, le désir s'estompe. Je vais donc la balancer à la décharge, elle et son petit corps à la Juliette Gréco, puis, enfin libre, je vais aller me faire discret quelque part en Afrique. Là, au moins, le gouvernement n'hésite pas à faire travailler les zombies dans les mines de sel. Ça les occupe, et on peut se balader sans craindre la contamination. De plus, en Afrique, je vais vite trouver une nouvelle femme qui acceptera sans rechigner de faire tous les travaux ménagers de la maison. C'est ce que je souhaitais, avec K., autrefois. Je voulais pouvoir me consacrer corps et âme à la contrebande. Pour cela, elle devait sagement rester au foyer à faire grandir les enfants et, quand je serais rentré, le souper aurait été prêt.

Mais non. L'année même de notre mariage – que Dieu me protège ! –, K. m'a dit qu'elle ne voulait plus, qu'elle avait changé d'idée. Elle m'a demandé de choisir, car elle était très belle à l'époque. Elle m'a dit : « Comme je suis très belle, je n'ai pas à me forcer. Comme je suis très belle, j'ai le droit d'être conne. Tu n'as qu'à t'en contenter et ne jamais rien me demander. »

C'est ainsi que nos ennuis ont commencé. Et c'est ce qui justifie ma décision de laisser tomber l'objet qu'est devenue K. et de partir vers l'Afrique.

LE GRAND LIT, LE PETIT CRABE, SA FEMME ET LES CREVETTES

Il était une fois un petit crabe qui vivait dans un lit ; un grand lit froid, toujours bien bordé. Il y avait établi ses quartiers l'été précédent, un peu après que sa petite femme l'eut abandonné, avant de partir pour les sables jaunes de la Floride avec les deux enfants et l'argent de la maison. Mort de tristesse, le petit crabe était revenu dans ce coin de pays, habiter entre ces draps fleuris qui lui rappelaient drôlement ceux de son enfance. Surtout à cause de leur odeur. Mort de tristesse de se retrouver seul de nouveau, de savoir sa petite femme dans les pinces d'un vieux macho qui, outre sa planche à voile, n'avait rien pour impressionner qui que ce soit.

Dans le grand lit, il s'était refait une vie, le petit crabe. Ce qu'il aimait le plus, c'était de mordre les jambes et les orteils des dormeurs. Ça le faisait bien rigoler. Ça lui remontait un peu le moral, quand il ne lui restait plus de tequila.

Or, un jour, sa femme revint le retrouver. Elle chercha partout dans la ville, demandant à droite et à gauche si quelqu'un n'avait pas vu son Arthur. Le macho venait de la larguer pour une crevette, plus belle et plus jeune. C'est toujours ce qui arrive quand on vieillit : on finit toujours par se faire damer le pion par une crevette en bikini, c'est bien connu. Elle remonta donc jusqu'à son mari, morte de culpabilité, pour lui demander s'il s'était ennuyé tout ce temps. Évidemment qu'il s'était morfondu. Et il ne le lui cacha pas, n'ayant gardé aucune haine envers la crabe qu'il avait aimée très fort autrefois, qu'il disait pouvoir aimer jusqu'à la fin des temps, jusqu'à ce que mort s'ensuive. Il le lui avait souvent répété pour la faire rire, il lui avait dit que, même frit, même farci, même bouilli, même au milieu d'une coquille Saint-Jacques, dépecé en petits morceaux, il lui avait dit qu'il l'aimerait encore. Et ça la faisait bien rire. Jusqu'au jour où le macho d'eau salée arriva dans le décor.

Elle revint le voir, sans orgueil, mais sans se traîner non plus. Elle revint lui demander s'il voulait bien, comme au temps de leur jeunesse, s'amuser avec elle à mordre les cuisses des gens qui dorment. Et le petit crabe rougit, tandis que les enfants, eux, aussi perspicaces que peuvent l'être les enfants crabes, s'étaient déjà installés dans un coin du lit, fiers de ne pas avoir des parents modernes.

Essai de sociologie russe

Il avait fait très froid cet hiver-là, tout le monde s'en souvient. Les guerres russo-turques sévissaient de nouveau depuis plusieurs mois. Des hommes étaient mobilisés sur toute la prairie, prêts à sacrifier leur vie pour un ailleurs meilleur, depuis plus de deux ans. Les combats que se livrèrent les Russes et les Ottomans cet hiver-là étaient à leur acmé quand, tout près de Viliousk, il se passa quelque chose de tout à fait mystérieux. Cet hiver-là, le froid n'avait fait relâche que huit jours et, durant ce répit, la neige était tombée en grand sur la région. Huit mètres en tout. Il fallait creuser pour retrouver sa maison. On ne voyait plus les rues et il était impossible de distinguer les champs des villages. La misère alors était telle que les paysans, pour survivre, avaient dû manger le chien et le petit chat. Il n'y avait plus d'eau, plus de choux, ni de lard ni de navets. Les porcs étaient tous morts de froid et on ne pouvait les utiliser dans la goulasch car la recette exige une viande fraîche, jamais congelée

Le désespoir n'avait encore atteint personne, la guerre était bien trop violente pour qu'on songe à s'ennuyer. Pourtant, quelque chose de bien étrange se produisit, tout près de Viliousk, village obscur et ténébreux, enseveli sous la neige de cet hiver-là.

À trois lieues de la clairière, derrière les énormes sapins gris, bien à l'abri du sang et des cris des massacres, en secret, vivait déjà le père Noël. Il s'était fait construire cette maison en février 1768. Avant, il avait habité un loft loué aux environs de Manhattan, tout près de chez Betty Crocker, sur le même étage que le Capitaine Crounch. Mais lorsqu'il avait rencontré Simone, aujourd'hui sa femme, la mère Noël, il avait préféré la campagne soviétique aux grands boulevards new-yorkais.

Autant les tueries des guerriers permettaient à tous de ne pas sombrer dans la psychose maniaco-dépressive, autant le père Noël, lui, à deux pas de là, ne pouvait plus s'endurer. Il vivait des moments très noirs, passait de longues soirées, en robe de chambre devant la cheminée, à faire des nœuds dans sa barbe en se questionnant sur l'authenticité structurelle de son désir, le désir d'être un père Noël malheureux. Il déprimait depuis plusieurs années, le papa du ciel, se sentant hypocrite, coupable de jouer, ringard, à être content, heureux à s'en crever les yeux. Heureux à se rendre triste.

Simone avait beau lui préparer des soupes jaunes poulet et nouilles, lui raccommoder ses chaussettes de laine, lui donner de petits massages d'épaules, rien à faire, le père Noël ne sortait plus de sa noire tristesse. Comme par une quelconque lâcheté, le moral à plat, le vieux ne faisait plus que crier contre sa femme et les lutins. Les larmes aux yeux, impatient, il donnait des coups de pied dans la poubelle de la cuisine. Une fois, à force de s'être trop gravement mordu le dedans des joues, il dut se faire opérer par un ogre chirurgien qui lui colla les dents ensemble pour qu'il ne puisse plus mordre. Son rire, qu'il ne pratiquait plus que quelques heures par mois, avait alors pris la couleur d'une sorcière verte en culottes courtes avec des bas rayés (espèce très recherchée à l'époque, spécialement par les moines de l'Inquisition espagnole). Le père Noël s'était tout simplement désincarné. Certes, il avait conservé son pyjama rouge et sa grande barbe bleue, mais sa paternité, il ne la sentait plus. Comme si plus personne ne voulait la lui redonner.

À première vue, les angoisses du père Noël n'étaient pas directement reliées à la ménopause de Simone ni au problème de cocaïne du petit renne au nez rouge, quoi qu'en aient dit ses nombreux détracteurs de l'époque. Non. C'est qu'à force de faire plaisir à tout le monde, comme ça, avec la gueule d'un glorieux imbécile, sans jamais rien recevoir en retour, le père Noël, peu à peu, s'est senti seul. Abandonné de tous, au milieu des forêts sibériennes, à deux feux de circulation de la porte du ciel, le vieux se sentait con. Lui qui rêvait de devenir concierge comme son père, le bon Dieu, il se ramassait là, dans sa maison deux fois hypothéquée, avec sa femme qui ne lui tendait plus jamais les fesses. Seul comme un vieil arthritique ex-alcoolique.

Un jour de novembre, épuisé par tout ce pathétisme et las des menaces de divorce de sa femme, il eut une idée : celle d'offrir autre chose aux gens que des cadeaux originaux. Oui, le père Noël venait d'inventer la platitude du temps des Fêtes. Car, en plus, il conçut que cette période de l'année devait être celle de la déception. Il appela les lutins pour qu'ils montent en vitesse et là, dans son bureau, il leur commanda tout plein de jouets éducatifs et de cadeaux utiles comme des savons pour le bain et des bougies flottantes ridicules dans des fioles d'huile. Il choisit d'inventer les cousins pétulants d'idiotie qu'on doit endurer et faire semblant d'aimer du vingt-quatre décembre au premier janvier inclusivement. Il décida aussi qu'on allait tous dormir chez mononcle, qu'on allait se faire chier avec des jouets Ravensburger, sous la table, pendant que papa se paierait la cuite du siècle et que maman se ferait culbuter dans l'armoire par le frère de l'oncle René.

Il inventa tout plein d'autres cochonneries allant du gant Isotoner à la tirelire Colonel Sanders. Il exigea que soient admises des centaines de modalités chiantes, comme celle de se taper chaque année la naissance de Jésus de Nazareth à l'école primaire ou de faire des cadeaux ratés en carton pour nos parents. Des choses comme exhorter les maris infidèles à offrir des bijoux hors de prix à leur femme qu'ils trompent avec la pute qui travaille dans l'arrière-magasin de la boucherie de Minsk. Il inventa des choses assez pratiques. L'oreiller toujours frais, qu'on n'a besoin de retourner qu'une fois par jour, n'est qu'un mince exemple de ses plus belles réussites. Des trucs tout à fait utiles, mais que personne ne veut surtout recevoir à Noël de la part de ceux qui les aiment. Une friteuse, un foulard, des tapis sauve-pantalons, des billets de loterie ou, encore, le pire d'entre tous les cadeaux, la chose à ne pas souhaiter même à son pire ennemi, de l'argent. De l'argent à placer à la Caisse d'épargne.

Le vingt-quatre, on mangera désormais des petits enfants confits. Terminé les chocolats, fini les cloches venues d'Italie. Le père Noël négocia avec le pape qui accepta illico de transférer l'idée des chocolats pour fêter Pâques. Même chose aussi pour les femmes nues qui rebondissent de l'intérieur d'un énorme gâteau de carton-pâte : parfait pour le Vendredi saint. La tequila, la femme du voisin et le P.C.P., pareils : le Vendredi saint. Il ne laissa que la famille pour Noël.

Certains sociologues croient que c'est à cause de la maladie du père Noël que les êtres humains ont inventé la criminalité. D'autres croient également que c'est le père Noël, avec ses habitudes de vieil alcoolique inverti, qui a inventé les hommes violents et les junkies. Même que ce serait la mère Noël, à son tour, qui aurait fait légalement admettre pour la première fois le divorce et la féminité. Ça reste un mystère puisqu'un autre groupe d'anthropologues affirment avoir encore retrouvé le suaire de la mère Noël. Selon leur théorie et l'étude du torchon, celle-ci se serait suicidée en mordant dans une gélule de cyanure vers la fin du dix-huitième siècle, un livre de Goethe à la main. Mais c'est moins sûr.

Il faut dire qu'il avait fait très froid cet hiver-là. Il faut dire aussi que la neige n'avait pas cessé de causer des ennuis aux soldats russes et que, pour survivre, même le père Noël avait dû se résigner à faire une diète de gou-

lasch, et manger son petit chat. Plusieurs s'en souvien-
nent, de cet hiver de grands frissons. On ne l'oubliera
plus.

J'AURAIS VOULU AVOIR UNE MÈRE

J'aurais voulu avoir une mère différente de celle que j'ai eue. J'ai eu une mère sérieuse qui a fait beaucoup d'argent. Elle a couru partout pour aller plus vite, pour manger plus vite, dormir plus vite, avoir des accidents de voiture plus vite, payer ses contraventions plus vite. Une mère femme d'affaires, comme un autobus au milieu d'une forêt vierge, comme un Boeing nolisé au fond de l'océan. Une mère carte de crédit, qui rentrait tard de ses conseils d'administration, un repas surgelé dans son sac à main, un enfant tout le temps dans les jambes ; un p'tit emmerdeur enrichi de riboflavine, sans sel ajouté.

J'aurais préféré avoir une mère sans rêve et sans ambition. Une vraie mère, grasse et joyeuse. Avec toujours un sourire au coin des yeux, de la farine jusqu'aux coudes et sur les joues et sur le front. Un sourire quand elle entend ses enfants lui poser des questions sur l'origine de la vie. Une mère qui sait tout, même ce qu'elle ignore, même ce qu'elle n'a pas vécu.

Une cuisine bien chauffée, grande comme une maison. Un mur de briques et la chaudière à huile dans le corridor. Une cuisine où la mère se trouve tout le temps, quel que soit le moment de la journée. Une mère que l'on sait toujours où trouver. Une mère comme un pilier, à la vaisselle le matin, à la pâte le midi, aux crêpes le samedi ; une femme à recoudre des boutons quand vient le soir, une odeur de tisane au bord des lèvres. Et un père, parfois, fumant sa pipe derrière le journal. Un père tapis. Un père obéissant, aussi sage que ses enfants, et qui pourtant décide de tout.

Une mère qui ne lit pas. Qui n'a jamais eu besoin de ça. Une mère qui sait foutre des baffes aux marmots quand ils se mettent à paniquer. Une mère qui casse le nez des Témoins de Jéhovah, qui n'a jamais supporté le mensonge. Une maman avec laquelle tous les enfants voudraient à tout prix se marier, quitte à sacrifier la totalité de leur innocence.

J'aurais voulu que ma mère prenne soin de tout ce qui l'entoure en disant à ses garçons qu'ils sont la prunelle de ses yeux. Une mère avec des mains qui montrent aux tartes de quel bois elle se chauffe. Mais qu'on voit pleurer, parfois, quand le père fait jouer le disque de Serge Lama. Une grosse maman sans succès, qui prend sa gloire sur le balcon d'en arrière, quand le vent vient battre les grands draps blancs pincés à la corde à linge. Une femme décidée à ne pas abandonner le combat, une mère plus forte que le vent, plus grande que ses draps blancs, plus puissante et plus enfiévrée que toutes les cours intérieures du quartier. Une mère tempête que les enfants contemplent de leur carré de sable, la bouche ouverte, la petite pelle de plastique à la main, ahuris de voir leur mère se métamorphoser en armée cosaque. Et la cour, elle, se transformer en steppe, et les draps, eux, délivrés, dressés comme des dragons fous.

J'aurais voulu vivre ma pauvre enfance dans un appartement de la rue Marie-Anne, au troisième étage. J'aurais voulu jouer sur le béton d'une ruelle toute fendillée, dans les flaques d'eau de pluie, les cheveux pleins de sable et de mousse de pissenlit. Une ruelle pour faire des collisions de bicyclettes, pour casser la gueule au petit voisin gros, pour lui baisser ses pantalons devant tout le monde. Un buisson où cacher son vélo jusqu'à ce qu'il pleure. Pour la seule raison qu'il est gros et que la graisse, c'est à mettre dans les saucisses. Un petit frère à qui faire peur avec des histoires inventées, des trucs de monstres en *roller blades* et de cavernes où on a déjà trouvé des crânes humains. Un petit frère poule mouillée à traiter de fillette et un grand frère orgueilleux. Un grand frère qui fait le courageux quand vient le temps de jouer au ballon avec les plus petits que lui, mais qui a quand même peur de la mère quand elle se fâche contre ses draps. Un été qui fait des gens heureux.

Des clôtures à franchir. Un parc où rencontrer notre première fille, celle qui nous réclame des *french kiss* dégoûtants, sans tenir compte qu'on n'a que dix ans. Un parc où voir de la drogue pour la première fois. Un terrain de tennis tout pourri, des balançoires, des poubelles où mettre le feu. Un paquet de cigarettes américaines. Des Marlboro. Et une mère, toujours la même, toujours aussi grosse, toujours aussi mère, qui ne s'endort pas tant qu'elle ne nous a pas entendus tous rentrer. Une mère vers laquelle on revient, un peu coupable, un peu traumatisé de comprendre que la vie fout le camp à un train d'enfer, et que ça ne fait que commencer.

Un appartement où trouver le sommeil. Un logement avec du bois franc sur lequel le petit frère bébé peut vomir à sa guise. Un plancher sur lequel on a soi-même vomi, sur lequel le grand frère, à son tour, déjà, vomissait son trop-plein de lait. Un appartement où les dimanches se figent, où la seule règle à ne jamais transgresser est celle des dimanches. Les dimanches où tout le monde mange ensemble, avec un père en bout de table, qui entretient le silence. Pour remercier le Seigneur de nous garder en bonne santé et parce que la mère a souvent besoin de lui, lorsque l'avenir de ses enfants lui semble incertain. Des matinées de machine à coudre et de plancher tout bien lavé. Une mère toute pâle. Un père qui remue les outils dans le hangar. Un coup de téléphone de la parenté qu'on ne voit presque jamais. Le rire de la mère, de cette mère que j'aurais voulu avoir. Les cris du rire de la mère qui traversent le salon et font s'envoler les rideaux. Le rire au téléphone et les enfants, attendris, émus, envahis, regardant la mère, s'imprégnant de ce rire joyeux.

J'aurais voulu que ma mère s'inquiète au moment de ma première communion, qu'elle vienne avec moi et m'accompagne jusqu'au chœur pour voir le curé, un bébé sous le bras. Qu'elle soit près de moi, habillée d'une de ses robes qu'elle a elle-même confectionnées et coiffée d'un grand chapeau fabriqué pour l'occasion, pour me voir recevoir le corps du petit Jésus ; avec moi devant tout le monde, tous les autres amis avec leurs parents. Une première communion où l'on se prend en photo dans le parking, avec des fleurs et des souliers propres.

J'aurais voulu qu'elle soit fidèle, sincère avec tout ce qu'elle est, sa lourdeur, sa maternité. Qu'elle soit mère comme personne d'autre, comme aucune autre femme n'a eu le courage de l'être depuis des années-lumière, et qui, en cachette, sans le dire au père, aurait adoré le dernier album des Counting Crows. Une mère qui te prend les joues et qui te dit, sans raison, pour des siècles et des siècles, *mon petit chou, maman est fière de toi*. Une mère.

J'aurais voulu avoir une autre mère comme j'aurais voulu devenir marin.

DEVENIR MARIN

Devenir marin. Abandonner ma gentille fiancée au profit d'une vie sur un cargo. Tout vendre et me défiler avec mon sac de couchage et quelques trucs personnels gardés dans une boîte à cigares. J'aurais aimé que ma famille ait les allures d'un équipage. Ça m'aurait permis de ne jamais manger tout seul et de prendre tous les paris que je veux sur les parties de bras de fer entre copains, sans me soucier de l'argent qu'on peut y perdre.

Vivre sur un bateau à la conquête des océans. Un bateau gros comme une ville, tellement immense qu'on en oublie la mer et le bastingage, qu'on s'imagine au loin des arbres et des frontières. Un énorme bateau avec un nom roumain, impossible à lire quand on n'est pas de là-bas. Sous les pieds, une coque de porcelaine à n'en plus finir. Seul en piste, tout petit, accroché à une chaîne, couché sur le pont, entre deux eaux, une corde nouée autour de la taille.

Vivre pour trimer du matin au soir, avec personne à qui écrire, personne à qui donner de nouvelles. Avoir une vie que l'on n'a pas besoin de raconter, pas besoin de justifier. Une vie rien que pour soi ; en pleine mer, pour la cent millième fois, sans la moindre certitude, parce que la seule idée qui reste quand on est en mer est celle de ne pas tout faire sauter, de ne pas faire naufrage. Prier pour ne pas que la tempête nous engloutisse. Prier avant chacun des repas. Connaître par cœur des prières toutes prêtes, des prières et des cartes postales de ports européens.

Des fins de semaine de congé une ou deux fois l'an. Des jours entiers pour être saoul, en compagnie de ces femmes malléables, un peu folles, un peu amoureuses de tous les hommes. Des femmes heureuses de nous retrouver. Des femmes qui ne savent ni qui nous sommes ni d'où l'on revient, mais contentes pourtant de nous retrouver. Des femmes qui ne comprennent rien à notre langue. Des femmes à qui rien ne fait peur, surtout pas ces grosses brutes tatouées comme celle que j'aurais aimé être, tatoué jusqu'au ridicule.

J'aurais voulu passer ma vie dans une salle des machines, coincé entre le feu et les valves graisseuses de la chaudière. Connaître ce que c'est que d'avoir chaud, de suer à grosses gouttes et d'avoir les mains sales, noircies pour le reste de la vie. Être un marin qui n'existe que pour faire avancer cette ville. Toute cette ville, large comme une autoroute, des flammes en son ventre d'acier.

Me retrouver une cause entre les mains. Comme celle d'être belge, comme celle de faire sauter des Irlandais ou de vouloir sauver Haïti. Être marin et n'avoir pour seul principe que celui d'arriver à destination. Sur un bateau cinglé, comme dans la vie. Comme dans la vie, mais ailleurs que dans la vie. Acheminer un convoi de pétrole, de blé, d'esclaves ou de haschich fraîchement cultivé, subtilement filé par la garde côtière. Foncer dans les icebergs, abattre les plates-formes de forage, les cyclones et tout ce qui oserait se mettre en travers de notre route. Y compris les bélugas leucémiques.

En ces temps où seuls les marins pouvaient partir en voyage, en ces temps où les pirates avaient des couilles. Cette époque de grâce et de vulgarités.

La prière

Marie-Hélène, elle se fout pas mal de tout. Elle ne craint rien, elle vit sa vie un jour après l'autre, sans revenir inutilement sur les choses du passé. Quand elle marche, elle aime bien se donner l'air fier. C'est ce qui la remet dans les années quatre-vingt-dix. Parce que sans ça, Marie-Hélène, si ce n'était que de son opinion, elle aimerait retourner vivre en mil neuf cent quarante-deux. À l'époque où les femmes avaient des dizaines d'enfants à nourrir, quand elles s'habillaient avec des tabliers de coton et qu'elles savaient bien faire les tartes aux prunes et les cigares au chou. Quand les femmes attendaient une lettre de leur mari parti vendre de l'alcool frelaté aux Allemands occupant les campagnes. Au cours d'une guerre qui n'en finissait pas.

Marie, elle pourrait aussi être engagée comme femme de ménage dans un grand château appartenant à une famille de collaborateurs. Elle a le visage pour faire ce métier. Derrière elle, tout serait très propre. Elle aurait une petite robe noire, un collier ras le cou et une coiffure de carton pour faire joli. Oui, Marie-Hélène, quand elle se raconte des secrets, pour faire le vide à l'intérieur, c'est là qu'elle va : en mil neuf cent quarante-deux.

Elle n'a jamais eu honte de dire que l'on était revenu ensemble, elle et moi, même après toutes ces tempêtes. Elle sait qu'il y a des trucs, comme ça, que tout le monde ne peut comprendre. Elle sait qu'il existe des réalités qu'on n'a pas nécessairement besoin de dévoiler, même quand on y engage de son intégrité. Marie-Hélène, elle fait ce qu'elle veut. Elle se fiche d'à peu près tout. Elle va au bout des choses. Et quand elle a besoin de mentir, elle ne se retient pas.

Je me suis souvent demandé comment elle faisait. Je l'ai beaucoup observée. Mais je n'ai rien déduit de très concluant. Je la connais depuis assez d'années maintenant pour penser qu'elle ne me cache plus rien. Pourtant, hier soir, j'ai découvert quelque chose dont je ne m'étais jamais douté.

On venait tout juste de se disputer. Encore une fois, elle m'avait poussé à bout. J'ai été obligé de la battre à plusieurs reprises et même de lui coller les mains sur le rond du poêle. Encore une fois, j'ai dû la mettre à la porte, en jetant ses valises par la fenêtre. C'est commun, ce genre de soirée, entre Marie-Hélène et moi. Surtout le mercredi. Surtout quand je vais dépenser la moitié du chèque que veut bien nous allouer l'Aide sociale.

On venait tout juste de se faire la guerre, donc, et elle s'est retrouvée sur le trottoir. Puisqu'il n'y a que mon nom d'inscrit sur le bail, c'est pratique, je peux la mettre dehors autant que j'en ai envie. Comme ça, elle n'a qu'à se tenir à carreau. Elle s'est retrouvée sur le trottoir, elle a regardé à droite et à gauche, puis elle a décidé d'aller vers l'ouest. Et moi, sans rien dire, je l'ai suivie de loin. J'ai attendu environ trente secondes, et puis j'ai enfilé ma veste pour sortir. Pour voir où elle irait. Pour savoir. Je me suis caché derrière des passants pour ne pas qu'elle m'aperçoive, derrière les boîtes aux lettres et les vélos cadenassés.

Elle a marché. Elle est rentrée voir les livres et les disques d'occasion à plusieurs endroits. Elle s'est acheté une crème glacée, a regardé un petit bébé de cire dans une poussette, s'est arrêtée pour caresser un chien transparent, attaché devant une vitrine de pharmacie. Elle a marché. Et moi, je la suivais toujours. Elle a marché et puis, sans hésiter, elle a grimpé les escaliers de l'église Notre-Dame-de-Lourdes. L'église toute grise, enfoncée dans l'Université du Québec, sur Sainte-Catherine près de Berri. Cette église où le curé n'a même pas assez de sous pour acheter des hosties, où les trous dans la cuirette du prie-Dieu ont été camouflés l'an dernier avec du *masking tape*. Cette église, étranglée entre les pavillons tout neufs de l'Université du Québec à Montréal.

Dans le cœur de Marie-Hélène, il n'y a pas eu une seule seconde d'hésitation. Elle est entrée dans l'église à la manière des gens qui font cela souvent, d'un pas résigné. Comme si elle était de ces gens, comme s'il s'agissait pour elle d'un endroit familier. Tout de suite, sous les arcades, elle s'est assise. Et elle n'a rien dit. Elle était toute seule, comme si elle était vieille. Seule au milieu du vaisseau central. Comme si elle n'avait plus personne à qui parler, comme si la vie l'avait abandonnée. Puis, elle s'est agenouillée. Et elle a prié. Doucement.

Marie-Hélène, je le sais, elle se fout complètement de Dieu. Elle se fout du curé, de la Bible et du mariage. Pourtant, avant de s'endormir, elle fait des prières. Elle ne sait pas pourquoi, elle n'a jamais cherché à se faire une raison. Du reste, il lui arrive parfois de se réfugier dans les églises. Pour une excuse ou pour une autre, mais surtout le mercredi, surtout quand j'ai bu tout le chèque avec les copains. Quand elle prie, elle commence d'abord par s'excuser de ne pas venir plus souvent, de venir seulement quand les choses tournent à l'envers. Elle se sent alors très coupable. Mais Dieu, il est habitué à ce genre de fidélité. Ensuite, elle lui raconte où l'on en est rendu, pour qu'il comprenne bien ce qui se passe, parce que Dieu, il a beaucoup de travail et il ne peut pas toujours tout savoir, compte tenu du décalage horaire entre les pays. Cette fois-là, elle a prié pour la rédemption de notre couple. Elle se fout de tout, Marie-Hélène, et pourtant dans sa prière, elle a demandé que je sois sauvé. Et que dans ma rescousse, je veuille bien l'emmener avec moi.

Je suis resté dissimulé derrière une colonne de plâtre, pour mieux la regarder faire. Je pense aussi que j'ai pleuré, un peu. J'ai pleuré, et j'ai souhaité que la prière fonctionne comme il faut. J'ai souhaité que son Dieu accepte de marcher dans la combine. J'ai souhaité qu'il y ait un ciel, un ciel rien que pour les femmes comme Marie-Hélène. Un ciel où, à la fin, elles iraient s'endormir, sans moi. Un ciel qui n'aurait pas de problè-mes économiques, un ciel de paix et de paradis. Et une terre où les crétins de ma trempe seraient condamnés à rester. Pour toujours.

ÇA DOIT FAIRE CINQ JOURS

C'est dimanche. Cinq jours que tu n'es plus là. Cinq jours que tu ne m'as pas donné de nouvelles, que je ne sais pas où tu es. Ça doit faire cinq jours à présent que tu me manques. C'est dimanche et, en plus, c'est l'automne. C'est l'automne et je t'aime, et j'ai envie de te le dire, de te démontrer en long et en large que personne à partir de maintenant ne pourra t'aimer autant que ça. Mais tu n'es plus à la maison, et je ne sais pas où tu es. Peut-être chez ta mère, peut-être chez un ami. Sans doute chez un ami. Alors, je te l'écris.

La vie, c'est pas de la tarte. Tout le monde le dit. Mais depuis cinq jours, c'est pire encore. Comme si tu avais déjà tout oublié. Comme si, tout à coup, tu n'y croyais plus. Je t'écris pour te dire que je suis prêt à changer, si tu veux bien m'en donner la chance. Je vais arrêter de toujours te dire que tu es grosse. Je vais arrêter de te parler de ta pauvre mère qui délire et de ton frère qui fume de la drogue juste pour faire chier ton père. Je ne vais plus jamais te dire que tu risques de lui ressembler, à ta mère, si ça continue. Je t'écris pour ne pas faire plus de dégâts qu'il n'en faut, pour éviter de devenir aussi terrible que tu le prétends.

Je ne peux pas croire que tu as tout oublié de cette semaine de vacances qu'on est allé perdre tous les deux dans le Massachusetts. Ces vacances pourries. Cette pluie qui n'arrêtait pas, la tente, les vélos, les serviettes et les couvertures, impossibles à faire sécher.

Cinq jours, alors que tu te fous du Massachusetts, de Rockport dans le brouillard ou de Salem, ville de carton-pâte, comme de la laideur sans exception des Américaines. Ces vacances où l'on s'est emmerdé au point de se coucher à huit heures le soir. Je t'écris pour que tu reviennes. Je t'écris de peur d'être seul à me rappeler. Et de ne pas savoir combien de temps cela va durer.

Ne te rappelles-tu pas ces soirées où je me défonçais pour te faire rire, quand je prenais mon accent de l'Italie du Sud pour te faire croire que j'étais Marlon Brando. Quand je dirigeais toute l'Amérique du haut d'une mafia que j'avais moi-même fondée, par amour pour toi et pour l'avenir de nos enfants ? Qu'as-tu fait de ces théories débiles que j'édifiais des heures durant pour mieux justifier notre amour, débile lui aussi, de nos longues soirées romantiques passées à écouter des films cochons méticuleusement sélectionnés ? Dis-moi, Marie. Dis-moi maintenant. Dis-moi les picotements que ça te fait lorsque tu revois ces soirées où on fumait un joint avant de regarder les adieux de Brel à l'Olympia, pour la centième fois. Dis-moi ce qu'ils te font, maintenant, ces bouts d'après-midi passés ensemble à danser sur du Gainsbourg.

Tu sais, je suis disposé à te rembourser les mille dollars que je t'ai volés l'hiver dernier, alors que je déprimais sens dessus dessous. Tu peux aussi compter sur moi pour remettre ton vélo en état ; je ne te laisserai pas remonter dessus alors que je suis allé me balader avec dans la servitude d'Hydro-Québec, en pleine nuit, complètement bourré.

Je vais arrêter de te dire que tu serais plus belle si tu te maquillais parfois un peu les yeux. Je vais arrêter de me moquer de ton maillot de bain, de me moquer de tes soutiens-gorge et de rire quand tu ne sais pas qui a écrit *Les misérables*. C'est juré. Je ne vais plus te trouver conne. Je ne vais plus te demander de te faire teindre les cheveux en rouge, en bleu puis en blond, et de t'épiler chaque semaine les poils du pubis.

Je vais arrêter. Et tout va recommencer comme c'était. Je vais de nouveau t'emmener braver la rue Sainte-Catherine en pleine tempête de neige, même s'il fait froid. Même s'il est plus de minuit. On va mettre nos foulards et nos kangourous, et puis on va partir marcher jusqu'à trois heures le lendemain matin. On va recommencer, Marie. On va recommencer à s'engueuler pour des banalités, on va retourner faire l'amour dans le stationnement derrière le Sunoco à Pouliot, sans rien dire à personne.

Reviens, Marie. Reviens m'avouer que tu ne sais plus quoi faire quand je ne suis pas là. Reviens si tu ne veux pas que j'éclate en mille morceaux, Marie. Je ne suis tellement plus le même les soirs où je n'entends pas ton rire. Les soirs où tu n'es pas là pour rire, quand je m'étouffe avec la fumée de ma cigarette. Reviens me beurrer mes toasts, Marie-la-Polonaise. Marie Quatre-Poches. Marie-Bambelle. Marie-Stocrate... Marie-Hélène. Allez, reviens !

DE TOUTE FAÇON

De toute façon, je n'ai plus envie de parler à une femme. Je n'ai plus envie de passer du temps à la séduire, de marcher des kilomètres sous la pluie pour dénicher une rose, de prendre tout un après-midi pour préparer le souper ou de me mettre à lui parler de mes lectures, de mon travail, de mon passé. De ce passé que j'ai mille fois réinventé, selon le sourire qu'avait la fille, après le troisième double scotch avalé d'un coup, le plus souvent sans glaçons. Je n'espère plus rien d'une femme. Je ne veux plus avoir à lui faire du semblant, ni être patient ni faire comme si je prenais plaisir à la comprendre. Plus envie de sauter dans un taxi pour arriver plus vite chez elle. Le bon petit restaurant français que je connais à Saint-Sauveur, je n'ai plus envie de l'y emmener. La beauté dramatique de la vie de Franz Schubert, je ne veux plus la raconter. Plus le goût non plus de sourire, d'être doux, de prendre l'auto et filer à l'improviste dans l'automne des Cantons de l'Est pour aller regarder, ensemble, main dans la main, l'ombre du monstre habitant le fond du lac Magog.

Il ne sera plus possible de faire venir une nouvelle

femme dans ma vie, dans cette vie toujours pareille. Lorsque je pense à être avec une femme, il y a un grand noir qui se fait. Je n'ai plus ces images de fête, de soirées entre copains, de guitare ou de petits-déjeuners préparés à la sauvette. Je ne me vois plus lui faire longuement l'amour en écoutant du Pink Floyd, jusqu'à quatre heures du matin, question de nous en mettre plein la vue et plein le corps. Je n'ai pas envie de savoir si elle sait jouer au billard, ni rien. Je ne veux plus rien d'une femme. Pour moi, une femme, à partir de maintenant, ne peut que me causer des ennuis. Rien de plus.

Ça pourrait être pire. Je pourrais ajouter qu'une femme, c'est trop con pour faire autre chose que des enfants. Je pourrais encore nuancer et dire que dès le moment où la femme a cessé de se taire, la Terre s'est mise à mal tourner, les jeunes se sont déguisés en punks et ont inventé des trucs bien pires que l'héroïne pour se défoncer. Je pourrais aussi dire que depuis que les femmes ont cherché à vivre seules avec leur amour-propre, on a construit de grandes villes dans lesquelles on a mis de la violence, de la solitude, des meurtres et des suicides à tous les étages. Vouloir être plus méchant encore, je pourrais dire que la femme ne sera jamais l'égale de l'homme, le penser, le dire, comme ça, et le penser, sans même avoir pris le temps et le soin de caler ma quadruple tequila. Le penser vraiment et en extraire une évidence. Le penser comme un homme honnête croit que tout ce qui lui arrive est de la faute de ses parents... ou des gouvernements. Le penser, et le croire.

Ça pourrait donc être plus grave, parce qu'en plus je

pourrais écrire tout cela. Je suis bien assez fou pour ça. Attention. Parce que je pourrais calculer à combien monterait l'achat de trois revolvers semi-automatiques, et le temps qu'il me faudrait pour me rendre à Polytechnique avec l'idée d'y abattre une cinquantaine de ces femmes d'aujourd'hui, bronzées, coiffées. Ouais, je pourrais facilement. Ça ne me rendrait pas mal à l'aise. Enfin... je ne pense pas.

Au lieu de cela, je vais rester chez moi, sans rien faire. Je ne vais pas aller crier toutes ces horreurs sur les toits des gratte-ciel. Je vais arrêter de faire tous les bars. Je vais tout arrêter. Je vais arrêter d'aimer, arrêter de faire le pitre devant les femmes, arrêter de grandir aussi. Je vais tout arrêter. Comme s'il était trop tard, et que ça ne servait plus à rien.

Je vais me mettre à détester tout le monde. Je vais regarder tous ces gens qui ont des enfants, et je vais les détester. Un peu comme on déteste les femmes, les soirs où l'on rentre tout seul à l'appartement, à moitié saoul à trois heures et demie du matin, un peu dessouflé, un peu las. Je vais détester tous ces cons qui ont des enfants et qui ne feront jamais de bons parents. Tous ces névrosés qui vont chialer parce que ça coûte cher des enfants, parce que ça cause des tracas et que ça tue la liberté. Tous ces idiots qui, entre eux, vont se dire que si c'était à recommencer, ils y penseraient à deux fois avant de faire des enfants. Tous ces gens qui ne pensent pas de toute façon. Vous savez, tous ces gens que l'on entend partout, partout, partout, à l'émission de Claire Lamarche, au centre commercial ou dans l'autobus.

Je vais me mettre à détester tout le monde, et à faire comme tous ces gens qui ont réussi dans la vie. Je vais m'acheter un Jeep Cherokee à 40 000 $, et j'irai vous voir, un dimanche, quand les enfants seront chez leur grand-mère. J'irai vous voir et vous raconterai mes histoires, toujours les mêmes conneries. Je parlerai fort. Je parlerai tout le temps, sans prendre le temps de respirer, afin de ne pas me mettre à pleurer.

Il y a Marie

Il y a Marie-Hélène qui vient tout juste de commencer à être enceinte. Le plus grave, c'est qu'encore hier, on était entièrement dans la vie de tous les jours. Cette vie normale et courte, vieille de plusieurs siècles déjà, et qui passe pourtant, insolente, sans se retourner. On était dans cette vie, comme tout le monde. Et personne ne se doutait de rien.

Marie-Hélène avait des sourires. Elle me regardait avec toujours autant de passion, persuadée que j'étais, ou que j'allais bientôt devenir un grand héros. Elle croyait que j'allais passer ma vie à écrire des articles et à prononcer des conférences partout dans le monde. Moi, je la laissais rêver. Puisque ça la rendait heureuse.

Marie-Hélène, elle m'aimait.

*

Les mois glissaient vers l'été. L'été qui, comme tous les débuts de printemps, refusait de se soumettre à l'éthique des quatre saisons. Au fond de ce quartier qui dérapait, emportant avec lui la vie des putes et des petits punks en manque de vrais principes. Ce quartier que nous seuls, Marie-Hélène et moi, acceptions tel quel, sans désir de le réhabiliter.

On travaillait tous les deux. On allait habiter sur Alexandre-de-Sève à partir de juillet. On avait de petits projets, comme tous les couples. En attendant, il nous restait encore trois mois à vivre sur Ontario, dans cette chambre isolée qui menaçait à tout moment de s'écrouler.

Le soir, avant de nous endormir, c'étaient les bruits de ce même quartier qui me faisaient penser à aller vivre dans le désert, pour y bâtir une ville semblable à Montréal, mais une ville qui aurait du sable partout dans ses rues et des femmes grises et brunes, sans visage. Partir chercher ailleurs un bout de terre où vivre tranquilles, jusqu'à devenir heureux. J'en parlais à Marie-Hélène, la tête au fond de nos oreillers. Je lui parlais de ces villes. Je pensais surtout qu'en racontant ces histoires, Marie-Hélène, à la longue, saurait me pardonner toutes les fois où je faisais exprès pour oublier de l'embrasser ou de lui glisser des mots gentils. À la place du mensonge, j'inventais des histoires de désert et de villes promises. Un désert et des villes, sans automobiles, où partir me réfugier.

Marie-Hélène restait au poste, solide, à faire tout ce que je lui demandais. De même qu'elle me croyait dans tout ce que je délirais, selon mes humeurs lunatiques, elle m'aimait de façon irrésolue. Les fois où je voulais que l'on s'achète une jeep décapotable, elle me regardait, et disait oui. Parfaitement consciente que demain, ce serait tout autre chose.

J'étais le héros de Marie-Hélène parce que je voulais fonder une ville, parce que j'étais sérieux et que j'étais le seul à qui elle pouvait faire autant de vacheries sans que ça dérange. Moi, je ne l'aimais plus depuis longtemps. Mais je ne bougeais pas. J'avais peur d'elle et elle le savait.

Je ne l'aimais plus parce que je n'avais plus envie de la connaître. Je me fichais de ses petits secrets de femme et de ce qu'elle pouvait bien garder caché dans les tiroirs de la commode, sous ses bas collants. Je ne rêvais plus de la voir piquer des crises, rire aux éclats ou boire du vin. Je ne m'inquiétais plus de son bonheur ni de ses nuits sans sommeil. Je ne l'imaginais plus revenir de l'école en pleurant ni faire l'amour à un éventuel amant.

C'était pour ces raisons que Marie-Hélène me faisait peur. Elle venait m'embrasser et je ne sentais rien. Elle était là et je me sentais seul. Encore plus seul que quand je suis seul, à boire toute la soirée devant la télé. Elle était gentille pourtant, me comprenait, partageait mon pessimisme, espérait de l'avenir la même chose que moi. Mais ça ne changeait rien à mon angoisse. Alors en échange, comme pour lui demander pardon, je lui faisais la cuisine. Des choses qu'elle aimait. Du steak haché avec du Kraft Dinner, la recette de mon père, pour oublier l'échec global que nous partagions, la honte des vieux couples en mal de nouveauté. Cette honte de ne pas pouvoir se laisser, une fois pour toutes. Autour de la table, en silence, on mangeait. On vidait une bouteille de rouge chaque fois, même si on n'en avait pas les moyens. Une façon comme une autre de ramollir ce gros caillou que nous avions sur la conscience. La vérité de se retrouver, à cœur de jour, paralysés au milieu d'une vie sans bonheur. Figés par la crainte de ce que deviendrait l'existence, tout à coup, si l'autre, demain, sans prévenir, décidait de ne pas rentrer souper.

La peur. Elle m'était venue comme ça, du jour au lendemain, sans bonnes manières. Elle m'a investi et m'a rendu complètement sans-cœur. Comme un vieil homme qui n'a rien fait d'autre de sa vie que de travailler à l'usine, cinq jours par semaine, un sandwich au beurre et au fromage dans sa boîte à lunch, et que de regarder sa femme vieillir. Sans-cœur parce qu'autrefois il avait des projets, et qu'il n'en a jamais rien fait.

Je suppose que c'est toujours comme ça, que c'est aussi comme ça pour les autres. Le jour, je pouvais rencontrer des tas de gens merveilleux. Je parlais avec des femmes très belles. Je les écoutais, et l'idée me venait qu'auprès d'elles, ça ne serait pas mieux qu'avec Marie-Hélène. Seul, ça ne serait pas mieux. Avec un chien non plus. Je me suis dit que c'était toujours la même chose. Que la vie, on peut bien la retourner dans tous les sens, elle est toujours la même. On peut gagner un million de dollars, se faire arracher les yeux dans un accident de voiture ou s'enfuir dans un autre pays, notre état d'âme, lui, passé un certain âge, ne change plus. Il n'existe pas à l'extérieur. Il est le même quelle que soit la femme que l'on choisit.

C'est curieux, l'amour. C'est comme le bonheur. On

146

ne sait jamais si c'est encore là. Des fois, on est bien, mais c'est comme si on n'aimait plus. Parce que l'amour, ça se transforme au fil des jours. Afin de garder une idée intacte de l'amour, il y en a qui choisissent de rester seuls toute la vie. D'autres préfèrent tout arrêter avant d'en arriver là. Marie et moi, nous n'étions pas comme ceux-là.

Alors j'ai décidé de ne pas quitter Marie-Hélène. Comme ça, je n'allais pas être obligé de tout recommencer avec une autre. L'amour, c'est peut-être ça. Des jours calmes. La lâcheté d'un homme. La fidélité d'une femme, désenchantée, qui sait toutes ces choses, et qui pourtant reste amoureuse. Et la peur, toujours vive, que ça ne dure pas. La peur qu'elle se mette soudainement à trop se prendre pour une femme, à revendiquer des pensions alimentaires et à dire du mal de moi aux enfants.

*

Marie-Hélène a commencé à deviner de petits changements venus du fond de son corps. Tout de suite, un enfant est entré dans sa tête. Avant même de m'en parler, un enfant était posté là. Alors Marie a eu un peu peur de mourir, peur que je la somme de partir, peur que je me sente ligoté. Parce qu'elle me sait assez crétin pour faire cela. Pour la mettre à la porte ou pour m'enfuir sur une moto, au loin, dans le désert du Wyoming, à la recherche d'un mur de béton.

Il lui fallait un bébé pour se détacher d'elle-même,

pour briser son orgueil de petite folle et devenir, en quelques mois, une femme consacrée, ratifiée, rassurée dans son être-femme. Pour faire chier toutes les féministes célibataires et pour m'offrir, à moi, un homme, quelque chose d'infini. Un enfant. Un enfant pour qu'on la croie. Un enfant qui, de ses cris, fera taire tous les bavards.

Au gré des jours, l'espoir en elle a continué de grandir. Elle ne me parlait de rien, gardant secrètes ses premières nausées matinales. Dissimulé dans son ventre, déjà, replié sur lui-même, un petit bout d'enfance. La coupure d'avec la vie d'avant. Une autre ingénieuse façon de me garder près d'elle.

Marie-Hélène va être heureuse. Il y avait longtemps qu'elle ne l'avait pas été. Elle le mérite bien. On va aller fêter tout ça dans un restaurant. On va se prendre pour des gens riches, on va aller rêver au jour où l'on aura beaucoup d'argent et qu'on sera blasé de tout ce qui n'est pas gratuit. Je vais l'emmener manger un truc à cent dollars avec du vin, des digestifs et des fraises géantes pour dessert. Fêter le corps de plus en plus enceint de Marie-Hélène. Son corps super enceint. Fêter pour fêter. Célébrer à quel point on s'emmerde dans un pareil restaurant quand on nous interdit de crier à tout le monde qu'on va bientôt être papa.

JE NE VOUDRAIS SURTOUT PAS…

*À cent quatre-vingts kilomètres à l'heure sur une
moto, dans le désert, sans casque.
Surtout sans casque.*
Ézéchiel, 49, 1.

Je ne voudrais surtout pas déranger vos conversa-
tions. Vos jeux de petits baisers et de chatouilles partout
où il faut. Je ne suis que le petit garçon qui habite juste
en devant. Le petit orphelin qui vit chez la mégère d'en
avant. La vieille folle qui achète des enfants usagés.

Je sais, quand vous me voyez jouer dans la rue, vous
me trouvez un peu fatigant avec tout le bruit que ça fait
quand je lance mon ballon dans la grille des fenêtres de
l'école. C'est pas que je voudrais déranger. Je ne suis venu que pour voir la coiffeuse. Même si je ne suis pas tout
à fait d'accord avec les gens qu'elle fréquente, je suis
quand même venu la voir. C'est le vent qui m'a poussé.
Le vent, tout doux, qui m'a poussé jusqu'ici. Vous comprenez, je n'ai pas eu le choix.

Je suis le petit qui joue tout le temps tout seul. Ce-
lui-là même qui casse les fenêtres de vos voitures pour

y voler les radios. Celui qui tord les antennes avant de s'enfuir sur son rouli-roulant. Je suis celui qui connaît tous les meilleurs raccourcis pour chasser les papillons. Celui qui deviendra concierge. Qui ne dira pas grand-chose, qui ne parlera jamais à personne, plus tard. Celui qui travaillera toute la journée à torcher l'immeuble ; qui aura une petite télé noir et blanc et qui mangera du saucisson, tout seul, sans personne pour venir l'emmerder. Alors vous comprenez bien, ce n'est pas pour vous faire perdre votre temps, ce n'est pas non plus pour vous chanter une petite chanson. Si je suis venu, c'est pour voir la coiffeuse. Pardonnez-moi mes genoux scratchés, c'est pas ma faute, je suis tombé. Je ne suis qu'un petit gars de rien du tout. Alors ça se peut, moi aussi, que je me casse la gueule de temps en temps. Surtout quand je descends la super grosse côte en patins à roulettes, pour aller à l'épicerie chercher des œufs et porter le chat à la blanchisserie, quand il est trop froissé. C'est un peu moi, aussi, qui vais progressivement développer des comportements violents à force de jouer avec des fusils de plastique, à force de me coucher tard et d'écouter le cinéma du samedi soir. À force de rester tout seul dans le parc, avec mon vélo, jusqu'à deux heures du matin — puisque personne ne me surveille, puisque personne ne s'inquiète à la maison quand je ne rentre pas —, c'est moi qui vais devenir un gros con qui n'aime pas les enfants. Un gros con qui oublie de mettre le cadenas sur la clôture, et qui retrouve sa petite fille de trois ans et demie, noyée dans la piscine. Assez con pour les mettre devant la télé le temps d'avoir un peu la paix. C'est-à-dire tout le temps. C'est moi qui reçois les gifles quand je n'aime pas quand il y a des petits bouts de pain dans la soupe, mais qui peux passer la nuit dehors sans que personne ne s'énerve.

Vous ne me connaissez pas ? C'est parce que j'ai une nouvelle casquette, et qu'elle me donne un petit air malin. Une casquette, mauve comme ma bicyclette. Je suis venu voir la coiffeuse. Je passais par-là par hasard, j'ai décidé d'arrêter. Je ne reviens pas par le boulevard d'habitude. Mais depuis que le vieux fossoyeur s'est abonné au journal, je suis obligé de faire un détour de plus. C'est pour cela que je passais dans le coin. Et j'ai décidé d'arrêter, quoi. C'est moi le petit camelot, c'est moi qui lance des pierres dans vos piscines, qui casse vos rosiers, dégonfle vos pneus et fais manger des porcs-épics tout morts à votre chien ; celui que vous aimez tant. Vous vous rappelez, votre chien ? Toujours content de venir donner des coups de langue aux étrangers. C'est moi aussi qui ai mis un somnifère dans la tasse de thé de madame Dussault, avant d'allumer le gaz. C'est moi, évidemment, qui ai pris soin de bien fermer les fenêtres et de bloquer la porte avec des clous. C'est moi, et moi seul, qui sais à quel point elle a hurlé madame Dussault, quand elle s'est réveillée toute calcinée.

C'est moi qui me souviens parfaitement de tout ce que vous dites, de tout ce que vous faites. Même lorsque vous mentez, sans trop faire attention aux enfants qui vous écoutent. Moi qui vous surveille en silence. C'est moi qui me souviens. Moi qui vous traque, et qui prends des notes. C'est peut-être moi qui n'ai jamais eu la chance de surprendre mes parents en train de baiser, parce que des parents, je n'en ai jamais eus. Peut-être moi qui ne suis rien de mieux qu'un petit enfant usagé. Mais c'est moi. C'est pas pour déranger, je vois bien que vous êtes toutes très occupées. Je vois bien que les séchoirs sont tous en marche et que vous ne savez plus où donner de la tête depuis que la fille qui fait des shampoings est tombée malade. Je vois bien. Je sais bien que c'est la fête des mères, et que toutes les mères veulent se mettre belles avant de se faire emmener au restaurant. Je sais bien. Je vois bien. Je voulais juste rencontrer la coiffeuse. Celle qui a des cheveux toujours bien dans le vent. Le même vent qui m'a poussé jusqu'ici. Je voudrais la voir pour lui dire quelque chose. Un truc assez important, que je ne peux pas vous dire à vous, parce que ça gâcherait tout. Je voudrais juste la voir deux petites minutes. Je sais que vous êtes toutes très occupées entre les bigoudis et l'odeur du peroxyde.

Je peux attendre. Je vais regarder vos revues. Je ne serai pas trop bruyant. Je ne peux pas repartir sans l'avoir vue, vous comprenez. Je ne peux pas remonter sur mon vélo avant de lui avoir dit que je l'aime, et que je veux me marier avec elle. Il faut que je lui dise que j'ai bien l'intention de l'aimer toute ma vie. Même si tous les curés sont morts ou alors débiles. Dites-lui quand même que je suis là. Dites-lui que le petit con qui mange du beurre d'arachide à la cuiller est là, venu expressément pour elle. Dites-lui que je suis capable de rester sage un instant, que je vais regarder les revues sans tousser. Je dois absolument la voir, vous comprenez.

Je dois absolument la voir. À ce qu'on raconte, elle se serait fait couper les cheveux dernièrement. À ce qu'ils racontent, les gars de la station-service, cela lui donne un air très chic. Et comme j'ai peur qu'elle en choisisse un autre ! Comme j'ai peur qu'elle tombe sous le coup de l'amour d'un autre avant même de savoir que j'existe. Avant qu'elle ne se lance dans des projets de l'épouser et qu'elle ne puisse plus demander le divorce sans raisons valables, il me faut lui parler. Il me faut lui dire que je l'aime. Lui dire que j'ai douze ans de moins qu'elle et que cela ne veut pas dire grand-chose, de toute façon. Lui dire que je n'ai peur de rien, que j'ai tout vu de la vie à la ville, tout vu des drogues et des homosexuels. Lui expliquer que si elle ne me choisit pas, elle pourrait s'attirer des ennuis. Elle pourrait tomber sur un alcoolique qui se tourne les pouces toute la journée plutôt que de lui apporter la sécurité dont elle aura bien besoin, le soir, après le travail. Lui dire tout ce qu'elle doit savoir, avant qu'il ne soit trop tard. Car elle doit au moins savoir que je l'aime, moi aussi, et que lorsque notre famille nous demandera de nouveaux manteaux chauds pour l'hiver, je saurai m'arranger pour trouver l'argent. Je passerai davantage de journaux, je les passerai deux fois par jour s'il le faut, mais des manteaux, il y en aura toujours dans nos garde-robes. Des manteaux doublés avec de bonnes fermetures éclair.

Je suis passé par ici pour tout lui déballer mon sac. Parce que c'est très important, quand on est une femme de son âge, de savoir que la plupart des hommes qu'elle connaîtra dans sa vie, plus tard, ne vont l'aimer que pour son cul. Et qu'en ce qui me concerne, c'est différent. Forcément, je n'ai que douze ans. Et plus tard, je travaillerai fort. Si bien que je serai toujours trop fatigué pour ne penser qu'à la baise. Je ne lui ferai pas honte, en tout cas, en travaillant comme ça. Elle n'aura rien à redire là-dessus. Si je me fais jeter dehors, tout de suite je trouverai un autre boulot. Je partirai le matin, et ne rentrerai pas tant qu'un patron quelque part ne m'aura pas promis du travail. Avec l'argent, elle pourra s'acheter tout ce qui lui passera par la tête. Elle pourra même changer les tentures, trois fois par mois, si elle le veut. C'est pas moi qui ferai des crises.

Je n'ai pas plus haut que douze ans, et je n'ai pas d'amis avec qui aller courir dans les bois, pendant que le loup n'y est pas. Je n'ai qu'un petit bout de patience, ramassé dans une boîte de céréales au petit déjeuner. Mais voilà que le temps passe. Voilà que le temps passe et qu'à force de vous parler comme je le fais, les heures ont filé. La coiffeuse est donc sortie sans dire au revoir. Sans savoir que j'étais là, à l'attendre, exprès pour elle. Je m'en retourne donc à mes cailloux. Dites-lui quand même que je suis passé. Dites que je vais continuer d'aller briser des antennes et crever des pneus, pour faire passer la déprime. Comme je le fais depuis ma naissance. J'aurai beau penser à tous ces petits enfants de la république du Biafra qui n'ont rien à se mettre sous la dent, rien à se mettre au creux du ventre, j'aurai quand même envie de tout casser. Comme un gamin gâté pourri. Si vous la voyez, dites-lui de ne pas s'en faire. Que je suis parti chercher du pétrole au Guatemala, et qu'il n'y a aucune chance pour que je lui écrive la moindre carte postale. Dites-lui que ce n'est pas vraiment drôle, d'attendre ainsi. Si vous voyez qu'elle ne s'en fiche pas tant que ça, au fond, ajoutez que je vais très vite l'oublier. Pour une autre. Elle et son petit côté bourgeois. Elle et sa soi-disant nouvelle coupe de cheveux à la mode des jeunes de maintenant. Que je vais perdre l'appétit, devenir frigide et acariâtre. Mais que pour le reste de ma vie, je vais l'oublier. Dites-lui que je repars. Car le soir tombe doucement. Il commence à faire noir. C'est le temps d'aller mettre le feu dans les poubelles du parc. Espérons que je ne me suis pas fait voler ma bicyclette. Avec toutes ces émotions. Enfin, si vous la voyez demain, dites-lui quand même que je suis passé.

LE RETARD DE JOSÉPHINE

C'est vrai qu'elle était jolie la petite folle de notre village pauvre. Nous avions tous grandi non loin de Paris, dans ce village pauvre où nous vivions toujours en harmonie. Elle était jolie et se prénommait Joséphine. Elle était drôlement conne, la Joséphine — en plus d'être un brin extravagante —, parce qu'elle se levait tous les matins à quatre heures, pour aller pêcher à la rivière. Le jour, les poissons dorment à cause de la chaleur que fait le soleil sur l'eau. C'est pour ça qu'on ne peut pêcher que le matin, très tôt, ou encore le soir, quand il fait plus frais. C'était comme ça à l'époque et ce n'est pas prêt de changer. La petite le savait. Car elle connaissait à fond tous les rudiments de ce sport.

Joséphine se levait donc très tôt, bien avant tout le monde, s'habillait en vitesse et descendait préparer ses cannes à pêche et ses fils de nylon. Mais ce n'est pas pour cette raison qu'elle était débile. C'est à cause qu'une fois, aux jeunes garçons venus la voir derrière le mur blanchi à la chaux, elle avait avoué que le jour, certains matins, tardait à se lever. Elle pouvait bien le savoir, Joséphine, puisqu'elle était la seule de tout le vil-

157

lage à se réveiller si tôt. Elle pouvait bien le savoir, elle, que parfois, sans qu'on sache pourquoi, le jour ne venait pas. Elle disait qu'on le sentait, que ça touchait droit au ventre. Elle disait que, souvent, vers quatre ou cinq heures du matin, quand on était seul à la cuisine à se préparer des tartines, elle disait, Joséphine, que le jour, parfois, choisissait de ne jamais arriver. Au fond, personne au village n'avait la certitude absolue que le jour arriverait tout le temps, jusqu'à la fin des siècles. Aucun scientifique n'avait encore pu convaincre le monde entier que le cycle des jours et des nuits resterait à tout jamais imperturbable. Les savants du village se penchaient sur d'autres questions beaucoup plus importantes. À propos du lever du soleil, aucun d'eux n'avait demandé de subvention de recherche, alors on ne se questionnait pas vraiment là-dessus. Et quand Joséphine demandait aux gens de lui expliquer comment ils pouvaient savoir, par quels moyens ils pouvaient être certains, tous ceux qui se fichaient d'elle arrêtaient de rire. Parce que personne, au fond, ne le savait. Personne n'en était absolument certain.

C'est à cause de ses histoires qu'on disait d'elle qu'elle débloquait. Elle était folle, mais surtout très belle. Assez belle pour avoir peur que le lendemain n'arrive jamais, que ce soit la nuit jusqu'au fond de l'éternité, la nuit tordue, avec ses monstres et ses fantômes de chiffon. Elle dérangeait, je crois, Joséphine. Elle dérangeait les jeunes garçons qui venaient coucher avec elle. Au début, c'était bien. Elle était très belle et surtout innocente. Elle répétait qu'elle cherchait l'amour et la tendresse. Alors elle couchait avec tous les garçons, à la queue leu leu. Et elle leur en donnait beaucoup, de l'amour. C'est pour ça, sans doute, qu'elle imaginait automatiquement en recevoir en retour. Elle était conne là-dessus, de penser que pour être aimé, il suffisait d'aimer. Elle était conne, mais nous, on ne se gênait pas pour en profiter.

Au début, c'était bien, car elle faisait vraiment tout ce qu'on voulait. Mais quand elle s'est mise à nous parler de ses histoires de soleil et de jour qui pouvaient à tout moment ne pas venir, les gars se sont mis à déprimer. Ils continuaient de la baiser plusieurs fois par semaine, mais avec moins de plaisir. Peut-être faisait-elle exprès, la Joséphine, derrière son innocence. Peut-être continuait-elle de faire l'amour avec tous ces jeunes hommes rien que dans le but de les détruire intérieurement, à petit feu. Peut-être le savait-elle, qu'aucun de ces jeunes garçons ne retrouverait plus tard une amoureuse aussi délurée. Et que leur donner autant d'amour, tout de suite, gratuitement, les vouerait à une vie de couple insatisfaisante.

Or, un jour sans faire exprès, Joséphine accoucha d'un petit bébé. Elle le mit au monde toute seule, près du ruisseau, à minuit trois. Le problème est qu'une croyance courait dans notre village. Cette croyance racontait que si un enfant avait le malheur de naître ailleurs qu'à la clinique, près du ruisseau par exemple, alors que la lune indique minuit trois minutes, celui-ci aurait des cornes et des pattes de cochonnet. Et c'est ce qui se produisit avec le petit bébé de Joséphine qui, par la même occasion, mourut quelques heures plus tard. On enterra le cadavre du rejeton dans le jardin, sous le tilleul, dans une boîte en carton. Le curé ayant refusé d'accorder sa bénédiction, on ne put le mettre dans le cimetière auprès des autres cadavres, de façon à ce que son âme ne se retrouve pas dans le même firmament.

La jeune maman n'eut cependant pas de mal à retrouver le père; une femme connaît toujours le père de son enfant, même lorsqu'elle se fait basculer par tous les adolescents d'un village. C'est dans les gènes, dans les caractères héréditaires de certaines unités définies, localisées sur les chromosomes. Si ce n'est pas le cas, c'est qu'elle fait l'hypocrite. Joséphine retrouva donc le responsable. Elle lui dit en pleurant : «Je viens de mettre ton enfant au monde. Il est mort tout de suite parce que c'était le diable qu'il avait en lui. Il est mort et c'est de ta faute.» Pierrot, le responsable en question, un peu énervé, lui flanqua aussitôt une baffe, à juste titre par ailleurs.

— Comment ça, de ma faute? Je n'ai fait que te baiser, comme tout le monde.

— Justement, reprit-elle, si tu m'avais baisée une heure avant, il serait né une heure plus tôt, le petit. Et il n'aurait pas eu ces vilaines cornes de minuit trois. Et il ne serait pas mort, et on n'aurait pas eu besoin de l'enterrer sous le tilleul dans une boîte à chaussures.

Devant tant de vérité, Pierrot n'eut pas d'autre choix que d'admettre sa participation à cette erreur catastrophique. Il sécha les larmes de Joséphine, lui remit une petite photo noir et blanc sur laquelle on le voyait sourire fièrement, une truite de dix kilos à la main, et lui promit de la marier dès son retour du service militaire. La vie prit ensuite une tout autre tournure autant pour lui que pour elle, la petite folle à ligoter au-dessus d'un grand trou. Si bien que l'année d'après, Pierrot se mit à travailler à la forge. Sept jours par semaine, il se rendit à la forge en autobus. Même les jours de tempête de neige, il alla faire fondre tous les aciers du monde. Entre les feux et les marteaux, agrippé au soufflet, Pierrot allait chercher de quoi nourrir sa petite femme. Cc fut ainsi pendant des années. Pierrot n'eut même plus le temps d'aller pêcher les jours de sieste. Car il aimait sa femme. L'histoire de Pierrot, à ce stade-ci, est une histoire banale.

Sauf que, comme dans toutes les histoires banales, Joséphine, elle, ne put jamais s'habituer à ne baiser qu'avec Pierrot. L'habitude de se faire sauter par tout le monde l'avait gagnée. Elle y avait pris goût. Son mari avait beau l'aimer et rapporter du beurre et des petits pots de confiture Bonne Maman toutes les semaines, en moins d'un an, Joséphine s'était déjà fait baiser par le capitaine de l'escorte — cette espèce de porc — ainsi que par son aide de camp, ce scélérat. Elle se fit également baiser par tous les autres soldats, les vingt-cinq de la garnison, de même que par les accompagnateurs, les cuisiniers, les palefreniers. Elle avait cédé sous la pression. Pour sa passion des hommes et son désir ardent de tous les faire jouir. Le goût de se sentir belle et désirée pour ce qu'elle sait donner à tous ceux qui le demandent. Comme le sont encore aujourd'hui certaines femmes de son espèce. Mais cela, bien sûr, c'est une autre problématique. Une histoire sur laquelle, cette fois-ci, on ne reviendra pas.

TABLE

* Texte paru dans le numéro 78 de la revue *Mœbius*

** Texte inédit

Achevé d'imprimer en octobre 1998 chez

VEILLEUX
IMPRESSION À DEMANDE INC.

à Boucherville, Québec